海外漢文古醫籍精選叢書·第二輯

2011—2020年國家古籍整理出版規劃項目
中國中醫科學院「十三五」第一批重點領域科研項目
——我國與「一帶一路」九國醫藥交流史研究（ZZ10-011-1）

蕭永芝◎主編

辨證配劑醫燈

（日）曲直瀨道三　撰

雜病提綱

（朝）佚名氏　撰

北京科学技术出版社

圖書在版編目（CIP）數據

海外漢文古醫籍精選叢書・第二輯・辨證配劑醫燈　雜病提綱/蕭永芝主編．—北京：北京科學技術出版社，2018.1
ISBN 978－7－5304－9220－8

Ⅰ．①海…　Ⅱ．①蕭…　Ⅲ．①方書—彙編—日本　Ⅳ．①R289.2

中國版本圖書館 CIP 數據核字（2017）第207178號

海外漢文古醫籍精選叢書・第二輯・辨證配劑醫燈　雜病提綱

主　　編：蕭永芝
責任編輯：董桂紅　楊朝暉　周　珊
責任印製：李　茗
出 版 人：曾慶宇
出版發行：北京科學技術出版社
社　　址：北京西直門南大街16號
郵政編碼：100035
電話傳真：0086-10-66135495（總編室）
0086-10-66113227（發行部）　0086-10-66161952（發行部傳真）
電子信箱：bjkj@bjkjpress.com
網　　址：www.bkydw.cn
經　　銷：新華書店
印　　刷：虎彩印藝股份有限公司
開　　本：787mm×1092mm　1/16
字　　數：409千字
印　　張：35
版　　次：2018年1月第1版
印　　次：2018年1月第1次印刷
ISBN 978－7－5304－9220－8/R・2381

定　　價：**1150.00元**

《海外漢文古醫籍精選叢書·第二輯》編纂委員會

前言

二十多年前，本研究團隊成員蕭永芝剛剛考入中國中醫研究院（現爲中國中醫科學院）攻讀博士學位，師從著名中醫文獻學家馬繼興先生。那時，馬老師經常對弟子們説：「中國的醫書要回歸，海外的醫書要引進。」馬老師的前一個願望，得到日本學者真柳誠先生鼎力支持，后来在鄭金生先生帶領的團隊的努力下，流散海外的重要中國古醫籍得以收集回歸，并通過《海外中醫珍善本古籍叢刊》等幾套叢書公開出版；馬老師關於引進海外古醫籍的願望，則成爲本研究團隊二十多年來不懈努力的方向。

從二〇〇七年開始，中國中醫科學院中國醫史文獻研究所多次立項支持開展對海外古醫籍的研究。二〇一六年，《海外漢文古醫籍精選叢書》被列入二〇一一—二〇二〇年國家古籍整理出版規劃項目，并獲得該年度國家古籍整理出版專項經費資助。二〇一七年初，在北京科學技術出版社的支持下，《海外漢文古醫籍精選叢書·第一輯》面世，收録影印了二十六種海外醫家用漢文撰寫的古醫籍。回想當年，馬老師正當年富力强，雄心勃勃，胸懷衆多願景，還希望做更多的研究；如今，他已年逾九旬，弟子終於戰戰兢兢捧上一份答卷……

二〇一七年，中國中醫科學院將「我國與『一帯一路』九國醫藥交流史研究」列入本院「十三五」第一批重點領域科研項目。在前期工作的基礎上，本團隊再次遴選出二十種海外漢文古醫籍，以影印形式出版《海外漢文古醫籍精選叢書·第二輯》。

本次所精選的圖書含日本醫籍十三種、越南醫籍五種、韓國醫籍二種，内容涉及醫經、醫論、本草、醫方、針灸、兒科、臨床綜合及醫學全書。我们根據實際情况分别爲二十種著作撰寫了三千到萬餘字不等的内容提要，每篇提要從作者與成書、主要内容、特色與價值、版本情况四個方面展開論述。

本次所收醫籍的主要資訊，依次爲書名、卷（編）數、分類、撰著者、成書年代和所用底本，具體如下。

《難經捷徑》，二卷，醫經，（日）曲直瀨玄由撰，寬永十四年（一六三七）以活字本初刊，同年古活字本。

《海上大成懶翁集成先天》，一卷，醫論，（越）黎有卓撰，撰年不詳，鈔本。

《櫟蔭先生遺説》，二卷，醫論，（日）多紀元簡遺作，多紀元堅輯録，撰年不詳，慶應三年（一八六七）森約之鈔本。

《寸楮集》，不分卷，醫論，（日）曲直瀨道三撰，曲直瀨正琳注，撰年不詳，鈔本。

《用藥心法》，一卷，本草，（日）曲直瀨道三傳，津島道救選輯，慶長十二年（一六〇八）成書，鈔本。

《本草綱目鈞衡》，四卷，本草，（日）向井元秀撰，撰年不詳，寬政九年（一七九七）鈔本。

《傷寒論金匱要略藥性辨》，三編（存中、下二編），本草，（日）大江學撰，明和三年（一七六六）成書，次年刻本。

《古方藥議》，五卷，本草，（日）淺田宗伯撰，文久元年（一八六一）成書，文久三年（一八六三）鈔本。

《秘傳藥性記》，不分卷，本草，（日）味岡三伯撰，元禄元年（一六八八）初刊，同年刻本。

《管蠡備急方》，三卷，醫方，（日）度會常光撰，天文三年（一五三四）成書，鈔本。

《崇蘭館試驗方》，不分卷，醫方，（日）福井楓亭口授，撰年不詳，鈔本。

《古方藥説》，二卷，本草，（日）宇治田泰亮撰，寬政七年（一七九六）刊，同年刻本。

《家傳醫方》，不分卷，醫方，（越）撰者佚名，明命三年（一八二二）成書，同年鈔本。

《醫方軌範》，存卷下，醫方，（日）今大路玄淵傳，撰年不詳，鈔本。

《辨證配劑醫燈》，三卷，臨證綜合，（日）曲直瀨道三撰，元龜二年（一五七一）成書，鈔本。

《雜病提綱》，不分卷，臨證綜合，（朝）撰者佚名，撰年不詳，鈔本。

《穴處治法》，不分卷，針灸，（朝）撰者佚名，撰年不詳，鈔本。

《針灸法總要》，不分卷，針灸，（越）撰者佚名，明命八年（一八二七）成書，嗣德三十三年（一八八〇）鈔本。

《家傳活嬰秘書》，不分卷，兒科，（越）撰者佚名，撰年不詳，成泰二年（一八九〇）鈔本。

《新鐫海上懶翁醫宗心領全帙》，六十六卷（存五十五卷），醫學全書，（越）黎有卓撰，景興三十一年（一七七〇）成書，嗣德三十二年（一八七九）至咸宜元年（一八八五）間刻本。

上述海外古醫籍，絶大多數用漢文撰著，僅有個別醫書雜有少量日文或喃文。以上書籍中明確標明完成時間或可大致推測出撰寫時段的醫書，多成書於十六至十九世紀，大致相當於中國明清時期，其中不乏學術價值較高的名家名著。以「越南醫聖」黎有卓與日本醫學中興之祖曲直瀨道三爲例介紹如下。

黎有卓，自號海上懶翁，是越南歷史上最負盛名、影響最大的醫家，被後世尊爲「越南醫聖」。他在汲取中國醫學精髓的基礎上，結合越南本土醫療實踐，撰成六十六卷規模的鴻篇巨著《海上懶翁醫宗心領》。該書是越南傳統醫學歷史上第一部内容系統完備的綜合性醫學全書，標志着越南傳統醫學的本土化基本完成，在該國醫學史上具有里程碑式的意義。二〇〇三年，真柳誠先生首次在日本向蕭永芝推薦《海上懶翁醫宗心領》一書；二〇〇四年，蕭永芝回國後隨即向馬繼興先生報告此事，馬老師師徒幾人當即前往中國國家圖書館考察該書；此後，本團隊在研究過程中發現，中國醫史文獻研究所已故老專家趙璞珊先生曾在二十世紀八十年代就撰文介紹過該書；二〇〇八年，真柳誠先生再次建議出版該書。中外幾代學者對《海上懶翁醫宗心領》的重視，也從一個角度説明了該書的價值和重要性。因此，在《海外漢文古醫籍精選叢書·第一輯》中，本團隊先期影印了黎有卓《海上懶翁醫宗心領》早期流傳的四册鈔本，冠以《懶翁醫書》之名出版；本次則將刻本《新鐫海上懶翁醫宗心領全帙》現存的五十五卷全部影印出版，希望能够反映出越南傳統醫學的精華及其學術淵源。此外，本叢書收録的鈔本《海上大成懶翁集成先天》，亦爲黎有卓醫書早期的手稿或傳抄之本。

曲直瀨道三（正盛），日本中世紀末期著名醫家、醫學教育家，對日本醫學産生過深遠的影響，被醫爲日本醫學中興之祖。道三早年師從曾入明學醫的名家田代三喜，受其師影響創立了日本漢方醫界的後世方派。爲改變當時日本醫者單純依賴《太平惠民和劑局方》診病處方的被動局面，道三提出「察證辨治」，即診察每位患者的病證，然後有針對性地予以配劑施治。道三一生著述頗豐，其《辨證配劑醫燈》一書，載述臨床各科常見病證的病因病機、診斷察證、辨治預後及注意事項。全書貫串着診察辨證的思想，是後世方派系統實用的臨證處方秘典。曲直瀨家族是日本著名的醫學世家，世代名賢輩出，亦有衆多醫著流傳。例如，曲直瀨玄由祖述《黄帝内經》，博采諸家注本之言，參以己見，全文注解并闡發《難經》之旨，撰成《難經捷徑》一書，是日本現存較早的《難經》注解性著作，具有較高的研究價值。曲直瀨正琳輯録并注釋道三親傳之心法秘訣，書成之後定名爲《寸楮集》。該書作爲後世方派的秘傳經驗合集，充分體現了道三察證辨治、重視脉診的學術特色。曲直瀨玄鑑被後陽成天皇賜予「今大路」的家號，之後曲直瀨家子孫均改姓今大路。如今大路玄淵，爲曲直瀨（今大路）家第六代道三，他將家族精心甄選并經歷代親試的效驗良方彙編爲《醫方軌範》一書，所收醫方涵括臨床各科，具有較高的臨床實用價值。此外，曲直瀨道三還創辦了日本歷史上第一所醫學校啓迪院，培養了衆多門生弟子，其中部分弟子成爲日本醫界的中流砥柱。如門人津島道救選編道三的臨床用藥、辨治經驗，彙爲《用藥心法》一書。該書凝聚了道三畢生臨證用藥經驗之精華，處處體現出道三察病辨治的核心思想。曲直瀨道三的養子玄朔培養了弟子饗庭東庵。饗庭東庵及其徒味岡三伯是後世方别派的代表醫家。味岡三伯將本草學理論與臨床實踐相結合，融入自己對疾病及用藥的感悟，選取該流派臨床常用效驗之藥，分别述其和名、炮製、性味、功效、主治、禁忌及所涉方劑等，編撰《秘傳藥性記》一書，系統條理，重點突出，便捷實用，體現了中國醫藥理論及其實踐對日本本土醫藥學發展的影響。

上述六部醫籍均傳承了曲直瀨道三獨特的學術理念與臨證實用經驗秘訣，展示了道三深厚的醫學造詣及其醫學思想在日本的傳承發展。幾部著作之間既有獨特的價值韻味，又有着千絲萬縷的内在聯繫，從不同角度反映了曲直瀨道三及其子孫、弟子的學術特色。讀者可綜合比較閲讀，以便更好地理解并挖掘日本漢方醫學後世方派的學術精髓。

曲直瀨道三主要活躍於十六世紀中後期，以其爲鼻祖的後世方派注重吸收中國宋金元明醫學精華，尤其推崇李東垣、朱丹溪兩位醫家的醫學思想。十七世紀中葉，日本著名醫家名古屋玄醫提出醫學復古論，倡導回歸張仲景《傷寒論》《金匱要略》的古醫學，之後又有後藤艮山、香川修德、吉益東洞等名醫及弟子繼其衣鉢。這些醫家自稱爲古方派。在漢代盛行的仲景古方，經他們的闡釋發揮，被賦予了新的生命。本叢書收録的《傷寒論金匱要略藥性辨》《古方藥説》二書，均是爲日本醫者更好地運用仲景醫方而作。《傷寒論金匱要略藥性辨》對仲景醫方所用的藥物逐一辨正，注重鑒别藥材的真僞優劣與相似藥材的辨别應用，側重於闡釋藥物的藥性、功用、主治與臨床應用。《古方藥説》的作者宇治田泰亮，曾師從古方派吉益東洞的弟子中西惟忠與當時的本草大家小野蘭山，兼通傷寒、本草。該書詳細論述了仲景方中部分藥物的名稱、形態、產地、真贋優劣、炮製加工及替代用品。除古方派醫家在研究仲景方中的藥物外，折衷派醫家也對仲景方中的藥物多有研究，如折衷派代表人物淺田宗伯。其書《古方藥議》收録部分仲景醫方用藥，分「釋品」與「釋性」兩項記述藥物，結合仲景原方藥物組成及藥味加減，闡釋藥物的性味、功用，重視藥物的配伍，處處體現出方中有藥、藥中有方的思想。三部醫籍雖分屬古方派和折衷派的本草著作，側重點各有不同，但也存在許多共通之處。例如，三書記載藥物的次序，均依從相關醫方在《傷寒論》《金匱要略》出現的先後順序。讀者若能綜合參閱上述三書，既可加深對日本江户時代古方派用藥特點以及當時藥材種植、采收、炮製與流通情況的了解，又可對仲景醫方用藥有更深刻的認識，臨證運用時也會更加得心應手。

江户時代中期，日本傳承舊學的本草學術漸廢，諸家新説盛行；中國明代李時珍撰著的《本草綱目》也已傳入日本。《本草綱目鈎衡》即是一部運用傳統文獻考據方法研究《本草綱目》的本草學專著。該書對李時珍所載部分藥物逐一進行考證、詮釋和校勘，徵引文獻廣博，尤其推崇中國宋代唐慎微的《經史證類備急本草》，糾正了《本草綱目》中存在的部分錯誤。

除前文所述今大路玄淵所傳《醫方軌範》外，本叢書還收録日本《管蠡備急方》《崇蘭館試驗方》與越南《家傳醫方》三部方書。其中，《管蠡備急方》博引中國明以前歷代諸家方書，經由日本醫學世家度會家族歷代驗證，精選并收録臨證各科效驗良方。全書按疾病分門，因病立門，門下首述醫論，次列方藥，醫者臨證可按病索方，簡明實用。《崇蘭館試驗方》所載之方，多爲日本名醫福井楓亭口授的家傳臨證試驗良方。該書以日語假名讀音爲序記載方劑，所録醫方來源廣泛，總以《傷寒論》《金匱要略》《備急千金要方》《外臺秘要》《太平聖惠方》《太平惠民和劑局方》爲主，兼采中國清以前歷代重要醫書，反映了楓亭既重視經方，又兼用時方的學術特點。此外，越南醫籍《家傳醫方》一書，主要輯録中國明代李梴《醫學入門》和龔廷賢《萬病回春》二書的相關内容，通過取捨化裁，歸納記述了數十種臨床常見病證的對應治方，便捷實用，富有特色。

醫家臨證除采用方藥療病之外，還常應用針灸療法。本叢書收録李氏朝鮮《穴處治法》與越南《針灸法總要》兩部針灸專著。《穴處治法》主要記述經穴、别穴、針灸治療、折量法、針灸擇日等五項内容，其中經穴内容主要引自中國明代李梴《醫學入門》，後四項内容則主要摘自李氏朝鮮時期太醫許任《針灸經驗方》。全書編排巧妙，内容豐富，簡明實用。《針灸法總要》彙聚中國明代徐鳳《針灸大全》、李梴《醫學入門》和龔廷賢《壽世保元》等著作中的針灸醫學精華，主要記載針灸禁忌、五輸穴、靈龜八法主治病證、十四經脉循行流注及其重點腧穴定位、經絡起止、明堂尺寸法、八脉交會穴、奇穴治法等。儘管兩部針灸專著分别出自不同國家醫者之手，但均引用了中國《醫學入門》一書，都收録了十四經穴、骨度分寸定位法、針灸禁忌等内容，皆側重應用特定穴、奇穴，可謂異曲同工，殊途同歸。

周邊國家在學習中國醫學的過程中，漸漸形成了本土化特徵，或衍生出本國的醫學特色。如《家傳活嬰秘書》是一部獨具越南本土特色、自成體系的兒科專著。該書係越南「四民醫館」的家傳經驗秘笈。書中首先論述兒科諸病的見症分型與辨證方法；其次設「置藥治病列湯於下」，載述各種疾病對應的藥方及變方；再次是「治嬰各症方藥」，記載小兒常用治方；从次爲「論外湯症」，詳論以他藥煎湯送服丸、散劑的方法；最後列出兒科常用藥物的漢喃對照。如此環環相扣，自成一體，精審巧妙。其中，「論外湯症」一章，多以一味或數味藥煎湯送服丸、散劑，煎湯之藥隨症狀不同而變化，故隨煎湯之藥的變化，有效地擴充了單種丸、散劑的應用範圍。又如李氏朝鮮《雜病提綱》一書，依次記載雜病提綱、疾病分類、疾病治方，書中内容雖大多源於《醫學入門》《東醫寶鑑》，但經過作者巧妙編排，全書層次分明，内容系統，具有較高的臨床參考價值。再如，部分方書中開始出現一些未見載於中國醫籍的方劑，福井楓亭《崇蘭館試驗方》中收録的若干日本「和方」和福井「家傳方」等，即爲日本醫家自創之方。

前來中國拜師學醫，閲讀中國醫著，師承通曉中國醫學的本國醫家，閲讀本國名醫整理彙編中國醫學的相關著作，是海外醫者學習中國醫藥學的四種主要途徑。然而，前兩種途徑實施起來相對困難，故日本、朝鮮、越南三國名醫大多旁徵博引，取捨化裁中國醫籍以教化後學。以日本江户時代考證派名家多紀元簡遺作《櫟蔭先生遺説》爲例。該書係由元簡之子多紀元堅輯録而成，各篇之間獨立成文，主要論及痙病、麻疹、痔疾、脚氣、小兒吐乳、青腿牙疳，以及藥論、書論、醫論、醫事考證，同時收録元簡治療經驗、見聞心得。全書内容豐富，涉及醫學的方方面面，較好地體現了元簡精於考證、引録廣博、醫術精湛、治驗頗豐的學術特點。書中標注的參考引用著作近九十種，其中援引中國秦漢至清代歷代醫籍五十餘種，中國歷代非醫學文獻近三十種，旁及日本本土醫書五種、朝鮮醫籍二種。書中所引醫學文獻涵括醫經、傷寒、金匱、方書、本草、診法、兒科、外科、針灸、醫論、醫話等衆多類別。此外，該書引文中還提及二十餘位人物，其中絶大多數爲醫家。海外醫家將中國醫學重新化裁編排撰著成書後，部分著作還回流中國，引起中國醫家的重視。如中國清代曾多次刊刻發行，一九四九年以後又多次校注出版，在國内流傳較廣的《勉學堂針灸集成》一書，主要摘録了朝鮮太醫許任《針灸經驗方》全文與朝鮮名醫許浚《東醫寶鑑》的針灸相關内容。該書與本次收載的《穴處治法》一書關係密切，其間的淵源值得進一步考證。

但海外醫者對中國醫學的學習，更加强調其臨床實用性，往往首先汲取適於臨床運用的方法而捨弃醫理闡發的内容。日、韓、越均有一批對中國醫學研究得非常透徹的名醫大家，他們爲方便本國醫者學習和運用中國醫學，汲取中國醫學中最爲精華的部分，將中國醫學化繁爲簡，由博返約，促使其簡約化、本土化。如曲直瀨道三一派借鑒佛經中的經疏形式，巧妙運用綫段、圖表來提煉、歸納中醫藥的關鍵要素，或梳理錯綜複雜的醫理邏輯，用簡潔直觀的方式表達深奥的中國醫藥知識，極大地方便了日本民衆學習應用中國醫學。周邊國家還根據本國國情有選擇地學習吸收中國醫書的内容。如越南地處東南亞中南半島東部，大部分地區爲熱帶季風氣候，濕熱邪盛，國民患病以陽證爲主，故越南方書《家傳醫方》所載病證多爲陽證，陰證較爲少見。

本叢書收録的二十種海外醫籍，雖然有十五種爲鈔本，但其文獻研究價值與臨床實用價值不可小覷。從醫書分類角度而言，本叢書囊括醫經、醫論、本草、醫方、針灸、兒科、臨證綜合及醫學全書。從醫學流派與作者而言，涵蓋日本江户時代後世方派、古方派、考證派和折衷派幾大主流醫學流派，作者則涵括日本、越南兩國衆多名醫大家。書中所收本草著作，既有對張仲景古方用藥的闡釋發微，又有對李時珍《本草綱目》的考證。收録方書，多爲家族世代相傳的效驗良方。傳統醫藥學的理、法、方、藥在本叢書中均有很好的體現。但海外醫籍更加注重著作内容的實用性、簡約化，且具有不同國家的本土特色。

中、日、韓、越四國地理相近，交流頻繁，長期持續不斷的醫學交流，使得彼此的醫學思想、理論、學術和醫療技藝相互交叉貫通，血肉相連，共同爲人類的醫療衛生保健事業做出了巨大貢獻。本次所精選的二十種海外漢文傳統醫籍，獨具特色且國内罕見，能够在一定程度上呈现出中國醫學在海外傳承發展的不同側面，展現出日、韓、越傳統醫學各自的特色，較好地體現了中、日、越、韓之間的醫學發展、傳承流變、共性特色和交流互動。且本次所選之書内容豐富，涵蓋面較廣，具有較高的學術研究價值、文獻參考價值與臨床實用價值，將有助於研究中國醫學對周邊國家傳統醫學的深遠影響，能爲國内廣大中醫藥工作者拓寬思路、開闊視野創造良好的條件。

總之，本研究團隊以「一帶一路」沿綫國家的傳統醫學文獻爲切入點，繼續挖掘具有代表性的海外傳統醫學古籍，再次遴選，影印出版《海外漢文古醫籍精選叢書·第二輯》。希望本叢書能夠吸引更多國内學者關注中外醫學交流的源流與本質，以促進中醫藥的全面發展。本研究團隊也希望不負恩師之望，繼續努力將更多的海外醫籍精品介紹給國内的中醫藥工作者。

蕭永芝　韓素傑

目録

海外漢文古醫籍精選叢書·第二輯

辨證配劑醫燈

(日)曲直瀨道三　撰

内容提要

《辨證配劑醫燈》，又名《醫燈藍墨》《診察辨證》《醫燈配劑》，成書於日本元龜二年（一五七一），是日本著名醫家曲直瀨道三結合中國經典醫籍與自身臨床經驗編撰而成的一部診察辨證之書。本書涵蓋内科、五官科、外科以及老人、婦人、小兒各科共一百五十四種常見疾病，論述其病因病機、診斷察證、辨治、預後及注意事項，堪稱一部兼具系統性和實用性的日本醫方秘典。

一 作者與成書

《辨證配劑醫燈》全書共三卷，每卷卷首的書名下均題署「日東雖知苦齋道三校録」，書末「診察辨證」落款題爲「日東洛下雖知苦齋　盍静翁道三」，可知此書作者爲日本醫學史上著名的醫家曲直瀨道三。

本書始撰於一五六四年，初名《醫燈藍墨》，於一五七一年更名爲《診察辨證》或《辨證配劑醫燈》，并繼續編纂修訂。[1] 書中「診察辨證」之末記載完成時間爲元龜二年冬日，即一五七一年冬，作者曲

[1] 遠藤次郎撰，郭秀梅譯.《啓迪集》與日本醫學之自立[J].中國科技史雜志，二〇一二，三三(一)：八九.

直瀨道三時年六十五歲。

曲直瀨道三(一五〇七—一五九四),日本戰國時代至安土桃山時代的名醫,爲橘氏(今大路家)之祖,被譽爲日本醫學中興之祖。本姓源氏,諱正盛或正慶,字一溪,號雖知苦齋、盍静翁、翠竹庵、啓迪庵、亨德院等,道三爲其家號。「曲直瀨」這一姓氏由道三本人命名,寓意爲丹溪醫學分派於日本的支流。其字「一溪」,也有「丹溪分流於日本一支」的含義。「道三」之名,則係從其師道導和三喜各取一字而成。❶

曲直瀨道三生於日本京都柳原,七歲時入江州(今屬日本滋賀縣)天光寺學習佛經,十二歲時前往名刹相國寺閲讀佛教經典,同時學習漢學詩文和自然科學,十年期間學識日增。二十一歲時赴關東游學,入下野國(今屬栃木縣)足利學校學習;二十五歲時以優異成績畢業。在關東,曲直瀨道三有幸聆聽曾赴中國明朝留學的田代三喜講授李東垣、朱丹溪的醫學理論,從此立志學醫,并拜田代三喜爲師,三喜亦將畢生所學傾囊相授。以曲直瀨道三及其義子玄朔等爲代表的醫家,深受中國金元醫學的影響,并在此基礎上逐漸構築起日本漢方醫學後世方派的思想體系。

一五四五年,曲直瀨道三回到京都行醫。當時的京都醫家深受宋代《太平惠民和劑局方》(以下簡稱《局方》)影響,治病多爲簡單的對證下藥。但是,曲直瀨道三面對患者,往往先進行詳細的診斷,且尤爲重視脉診,仔細探尋病因病機,然後針對患者自身體質和疾病輕重緩急,確立辨治法則,靈活施用方藥,往往取得良好的臨床療效。其間,道三因治愈幕府將軍足利義輝之疾而聲名鵲起,成爲高

❶ 遠藤次郎撰,郭秀梅譯.《啓迪集》與日本醫學之自立[J].中國科技史雜志,二〇一二,三三(一):八八.

層當權者的御用醫生，并在足利義輝的支持下創設日本歷史上第一所醫學院校——啓迪院，道三親自擔任教師，因材施教，傳授李（東垣）朱（丹溪）學説。在啓迪院學習的道三弟子，大多成爲醫界的中流砥柱，以曲直瀨道三爲首的後世方派逐漸在日本醫界占據了一席之地。

曲直瀨道三既是醫學教育家，又是臨床大家，他倡導并力行察證辨治之法。在積累了豐富經驗之後，道三决定著書立説，以便更好地啓蒙後學，著有《啓迪集》《切紙》《藥性能毒》《辨證配劑醫燈》《雲陣夜話》《診脉口傳集》《授蒙聖功方》《針灸集要》《衆方規矩》《泪墨紙》《遐齡小兒方》《和字全九集》《養生秘旨》等。

二 主要内容

《辨證配劑醫燈》全書三卷，載述疾病一百五十四種。其中，卷一包括外感六淫疾病如中風、傷寒、中暑、中濕、燥、火熱，以及常見内傷疾病如咳嗽、哮喘、嘔吐噦、泄瀉、水腫等；卷二除消渴、眩暈等内科疾病外，尚有疝氣、諸血等雜病，以及眼目、耳、口唇、咽喉、牙齒、鬚髮等五官科疾病；卷三涉及疾病較多，又分列外科門、老人門、婦人門、小兒門。每種疾病大致按照病因、病機、分類、證候、脉象、預後、治法、用藥、其他的順序記述，但不一定具備所有要素。

卷三之末還包括書籍、藥劑、診察辨證等内容。「書籍」，將本書摘録的十八種書籍文獻名附録於此，所録文獻均爲中國診療與養生的經典之作。「藥劑」，逐一列出書中涉及的藥物。由於本書爲鈔本，爲追求文字精練，書中引用文獻的書名及出現的藥名多使用簡稱，書名簡稱如「惠」指明·王永輔

《惠濟方》，「四要」爲元·汪汝懋《山居四要》，「活人書」即宋·朱肱《南陽活人書》；用單字簡化藥名，如「參」爲人參，「南」指天南星，「紅」即紅花，「貴」是陳皮等。「書籍」「藥劑」將簡稱與原名對照，方便查找，避免混淆，具有道三家族鮮明的特色，也體現了日本人崇尚簡約、注重實用的特點。書末的「診察辨證」指出，本書係撮取明·虞摶《醫學正傳》、王永輔《惠濟方》、王璽《醫林集要》三書「之至要」，并結合道三自己的診察辨證經驗而成；同時，説明了所謂「診察辨證」，乃「辨陰陽表裏，或察虛實寒熱，或別血氣盛衰，或分貧賤苦樂，或異上下左右，或區老少男女，或明吉凶順逆」，初步確立了道三「診察辨證」的理論體系。

三　特色與價值

《辨證配劑醫燈》於一五六四——一五七一年完成。道三以中醫經典《黄帝内經》《難經》《傷寒論》爲理論基礎，廣泛徵引金元时期李朱學説的内容，并結合自身多年的臨床經驗編撰此書。全書内容豐富，重點突出，條理清晰，效驗確切，對現代臨床治療疾病仍有一定的參考價值。現根據全書對所載疾病診察辨證的記述，從以下六個方面解析本書特色。

第一，用語簡潔，墨、藍、朱分書，部分文字標注讀音和語序。曲直瀨道三所處的時代，日本的印刷術并不發達，同時期編成的書籍仍以鈔本爲多；加之其創辦的啓迪院所藏秘方、書籍等，除子孫或特定人選外，絶不傳授他人，因此，道三的著作多爲抄録完成。本書因係鈔本，故書中語言簡潔凝練，引用的書名和藥名多用簡稱代替。全書采用墨、藍、朱三色分書。據書末「診察辨證」所云，凡「先賢擬藥，以墨記之」；「年來予親用而每效配劑，以藍記之」；各種疾病論述的重點、提示及序碼等，則在葉眉處以朱字簡單標注。全書清晰明了，重點突出，而這樣做的目的也是「欲便姪孫一覽如上指常而已」。此外，本書主要用漢語撰成，考慮到日本讀者漢語水平的差異，書中在難讀或難懂的漢字旁標注有日語讀音，或在漢字中夾雜着日文送假名或返點，以標明語序與邏輯關係，便於讀者理解原文。這既是漢方逐漸日本化的必然過程，也是後世方派能够迅速興盛起來的原因之一。

第二，借鑒佛經經疏的編纂方式。書中論述疾病時，把相同邏輯層次的内容分條羅列，在精練簡明的文字中用綫段、圖表進行引導或歸納，以表達總分總、總分、分總的邏輯關係。這種形式使本書中用漢字闡述的抽象複雜問題，清晰直觀地展示在讀者面前，便於讀者學習、理解和記憶。例如，卷一「中風」病下，辨中風有氣虛、血虛、痰盛之不同，則以「丹溪曰有」爲總支，其下分爲三個綫段，分別連接「氣虛」「血虛」「痰盛」，三種證型下又對應不同用藥。這種簡明的圖表劃分，主要是爲了表達一種思維方法，提示診療中需要考慮的重點。需要指出的是，曲直瀨道三并非將全書每個環節全部圖解化，而是依據自己的見識、判斷進行了甄別和取捨。

第三，宗《黄帝内經》、仲景學説爲醫之根本，尊信李朱醫學。本書在論述疾病病理時，從《黄帝内經》中引用了大量經典理論，如書中對「病機十九條」的熟練掌握以及對瘡瘍病因病機的論述均來源於《黄帝内經》。對於中國的醫家，曲直瀨道三折服於金元四大家中的李東垣及朱丹溪，特以朱丹溪爲師，私淑之而直至晚年，這從《辨證配劑醫燈》中多次引用李東垣和朱丹溪的觀點與用藥可以看出。如卷之一關於傷寒病，就引用了朱丹溪「有外感而無内傷者，用仲景法；挾内傷者十居八九」之説和李東垣「内傷者極多，外傷者間有，是發前人所未發。後人悉指爲外傷，大誤，粗率者必殺人」的觀點，在治療上也注重補脾胃和化痰涎。此外，書中還多次引用《醫學正傳》《玉機微義》等著作的内容，亦與丹溪有很深的淵源。《醫學正傳》的作者虞摶乃明代浙江義烏人，其曾祖虞誠齋與朱丹溪處在同一時代，曾親受丹溪之教。虞摶承祖父家傳，推崇名醫張仲景、孫思邈、劉完素、李東垣等，對朱丹溪尤爲敬服，認爲丹溪得劉完素、張從正、李東垣三家之秘，能折衷前人以補偏救弊。《玉機微義》的作者之一劉純的父親爲丹溪高足。劉純繼承家學，受丹溪影響較大。從總體上看，曲直瀨道三傾向於李朱學説，并以《黄帝内經》《難經》以及仲景學説等爲學術基礎。

第四，倡導「診察辨證」理論。「診察辨證」是曲直瀨道三在《辨證配劑醫燈》中明確提出的概念，與中醫學的「辨證論治」大致相同，即醫者通過四診搜集患者信息，判斷病因病機，然後再確定治則方藥。尊奉丹溪學派的曲直瀨道三，排斥機械照搬成方，主張采取「診察辨證」的方法，即辨察陰陽表裏、虚實寒熱，分别血氣盛衰、上下左右，區分貧賤苦樂、老少男女，以明吉凶順逆，根據辨證結果進行組方配劑，故本書在病證治法之後并未記載成方而是給出自製新方，這當是源自道三流派「診察辨證」理念的必然結果。總之，曲直瀨道三的「診察辨證」理論體系，在編撰本書早期的藍本《醫燈藍墨》時即已萌芽；在《醫燈藍墨》修訂爲《辨證配劑醫燈》的過程中逐步完善；後來又進一步充實成熟，在《啓迪集》中發展爲「察證辨治」，成爲曲直瀨道三醫學理論的核心内容之一。遺憾的是，由曲直瀨道三創立的「察證辨治」方法論，并未得以長久持續。至第二代道三時期，曲直瀨玄朔即重新以成方爲基礎方加減運用。初代道三的「察證辨治」方法没有得以傳承的緣由，或爲辨證處方配劑過於靈活，

需要高超的醫術，對於完全没有臨床經驗或經驗不足的醫者來説，施行起來頗爲困難。❶

第五，綜合運用多種治療方法，如内服、外洗、灸法、催吐法等。由於日本藥材資源相對較爲匱乏，曲直瀨道三在臨床中十分重視藥物的實用性。通觀全書，少有大方、成方，而常用小方、單方。除較多使用内服方劑外，書中還有關於外洗方劑的記載。如卷之三「痘疹」對於痘後癰毒紅腫者，用黑豆、緑豆、赤豆以醋浸，研漿取之，以鵝領（翎）刷之，隨手退平去，其效如神。灸法，由於不受藥材資源的限制，較爲方便，也很常用。如卷之一「霍亂」重症中，提到「霍亂已死，胸尚暖，以鹽填臍孔灸之」；對於吐瀉不止者，提出在天樞、氣海、中脘幾穴上采用灸法，「灸之立愈」；對於卷之二記載的「勞瘵」，認爲此病大忌人參，若曾大量服用則此病難治，可以嘗試采用灸法，灸患門、四花、膏肓、三里等穴位；而對於卷之二「虚損」所述大病虚脱本是陰虚之人，也使用灸丹田的方法治療；卷之三婦人産時胞衣未下，灸右脚小指尖頭三壯即可。書中還有采用鹽湯探吐的治療方法，如道三在卷之一「霍亂」中，提出「乾霍亂最難治，忽然心腹刺痛，上不得吐，下不得泄，所傷之物不得出，正氣隔絶，多不治，死在須臾，用鹽湯鷄翎探吐。以提其氣，是良法」。可見，曲直瀨道三在臨床中擅長靈活施用多種治法。

第六，强調醫療養生中的禁忌。道三繼承了李朱醫學、孫思邈養生思想和儒家思想，重視滋補後天，强調修身養性，在養生方面積累了豐富的經驗。在本書中，有關禁忌的文字，道三多用朱筆以「慎」「戒」二字標出。如卷之三外科門中論及瘰癧時，指出「慎：多氣少血，婦人見此證，若月經不來，

---

❶ 遠藤次郎撰，郭秀梅譯.《啓迪集》與日本醫學之自立[J].中國科技史雜志，二〇一二，三三（一）：八六—九四.

實熱便生，稍久轉爲潮熱，危矣。戒：自非斷欲、淡食，神仙不治。尚忌嗔怒愁恨」；卷之二述及痹時，强調「戒：禁魚腥、蕎麥、熱麵、煎炒物」。諸如此類論述，均與曲直瀨道三具有豐富的臨床經驗并重視養生密不可分。

曲直瀨道三在《辨證配劑醫燈》的基礎上撰成名著《啓迪集》，此書成爲其最具影響力的代表著作。《啓迪集》全書八卷，從中風、傷寒至婦人、小兒，分爲九十三門，以《黄帝内經》爲宗，以金元时期李朱學説爲理論依據，活用仲景醫方。書中將疾病按病因分爲外感風寒和内傷脾胃病，每一種疾病主要按名證、由來、弁因、證候、脉法、類證、予知、治法等八項論述，這與《辨證配劑醫燈》在内容上一脉相承，大同小異。與《辨證配劑醫燈》一樣，《啓迪集》也采用了佛經經疏編纂方式，分條羅列，要領突出。較之《辨證配劑醫燈》，《啓迪集》在内容上更加豐富，論述也更有系統性。例如，在《啓迪集》卷首，曲直瀨道三以「啓迪集辨引」爲題，列舉了醫家應當注意的事項，共八十條，如「知變」「嫌執」「久用之戒」「標本緩急」「藥味多寡」等，要求醫者必須熟記。只有牢記吃透，才能明辨病因，從而正確施治。此外，《啓迪集》在卷之六專設「老人門」，其内容也是在《辨證配劑醫燈》卷之三「老人門」的基礎上擴充完成的。例如，在《辨證配劑醫燈》卷之三「奉養」一節，道三論及「高年之人真氣耗竭，五臟衰弱，全仰飲食以資氣血」時，提出作爲晚輩「宜察寒温，依四時攝養之方，順五行體旺之氣，恭恪奉親，無怠無忽」；在《啓迪集》卷之六「老人門」中也有類似論述，且後者在前者基礎上進一步豐富了針對老年人生理病理特點的養生治病内容，如道三提出了適應老年人特點的「床枕椅衣制規」❶，此内容不見於

❶（日）曲直瀨道三.啓迪集[M].日本國立國會圖書館藏鈔本.（卷之六）三九.

《辨證配劑醫燈》，是道三在《啓迪集》中新增的，使老年養生治病的内容更加具體實用，也使該書「老人門」的内容更爲充實完善。

在道三學派的醫學傳承過程中，弟子手抄《啓迪集》成爲該學派的傳統，門人修業完成，道三皆爲弟子所抄的《啓迪集》題跋，這種方式對道三學派的醫家影響深遠。從曲直瀨道三門人津島道救選輯的《用藥心法》一書，尤其是在「萬療一統集」一章記載的四十三種疾病中，能够深刻體會曲直瀨道三察證辨治、靈活用藥的特點。例如，在《辨證配劑醫燈》卷之三「婦人門」中，治療産後大便秘澀，津液暴竭，選用橘杏丸；但在《用藥心法》「婦人門」中，同樣治療産後大便數日不通，却用四物桃兵朴，即四物湯加桃仁、檳榔、厚朴，「兵」是道三對檳榔一藥的秘稱。這種在醫療實踐中的同病異治，體現了曲直瀨道三臨證主張徹底察證辨治而不拘泥於成方加減的思想。《啓迪集》在《辨證配劑醫燈》一書的基礎上進一步系統化，内容更加充實完備；兩書的核心思想「診察辨證」或「察證辨治」在其門人的《用藥心法》一書中都有體現。以上所有，均反映出後世方學派在傳承過程中不斷成熟、日趨完善的發展歷程。

總之，本書作者將其「診察辨證」理論融入到《辨證配劑醫燈》全書之中，對一百五十四種疾病進行了全面系統的論述，其中不乏鮮明和獨到的見解。如卷之一對霍亂的分析，認爲霍亂乃「揮霍變亂卒起，多因夾食、傷寒，陰陽乖隔，上吐下利，騷擾痛悶，非因鬼邪，皆飲食所致」。這樣的認識是非常客觀和可取的，學者需仔細閲讀，用心體悟，同時結合金元時期醫家的學説與治驗，才能更好地理解曲直瀨道三對中國醫學的繼承以及中醫學在日本的傳承發展。

四 版本情況

《辨證配劑醫燈》現有六種鈔本、兩種刻本和兩種活字本傳世。其中，六種鈔本分别藏於日本國立國會圖書館、九州大學圖書館、京都大學圖書館富士川文庫、東京大學圖書館鴨軒文庫、杏雨書屋、乾乾齋文庫。兩種刻本中，慶安五年（一六五二）刻本，藏於京都大學圖書館富士川文庫和乾乾齋文庫；刊年不明刻本，藏於大阪府立圖書館石崎文庫和牧野圖書館。另有兩種活字本，慶長間（一六〇三—一六一五）古活字本，今藏於英國大英博物館（題名《辨證劑醫燈》）；元和間（一六一五—一六二四）古活字本，由日本大東急記念文庫架藏。❶

本次影印采用的底本，爲日本國立國會圖書館所藏鈔本。此本藏書號「辰—51」。三卷三册（第一、二分册合訂在一起），四眼裝幀。書皮題「辨證配劑醫燈」及卷次。有護葉，無扉葉。正文無框廓及界格欄綫，書口處未記書名、卷次、葉碼等信息。每半葉十行，每行十六字。卷三之末題爲「診察辨證」，文後落款「時元龜第二辛未年冬日南至六十五齡老眼寒窗/日東洛下雖知苦齋　盍静翁道三」。正文用墨、藍、朱筆分書，以區分前賢之診察辨證、個人之見解及自配醫方、重點强調的内容及序碼。文中出現的方名、人名，用朱書單綫標識；引用書名，則以朱書雙綫標識；正文以朱書「、」句讀，用朱色「ﾚ」表示日語的返點，以明語序；書中還用墨書「△」「○」等表示分段起始。

---

❶（日）國書研究室.國書總目録［M］.東京：岩波書店，一九七七：（第七卷）二二七.

綜上所述，《辨證配劑醫燈》全書貫穿着曲直瀨道三「診察辨證」的思想，出現了許多源於中國醫學但又有别於中國醫學的論述，反映出當時的日本醫學開始從單純向中國醫學學習走向研巧創新的新時期。此書雖爲臨床醫著，但又并非直接切入臨床，而是從基礎醫學知識入手，着力梳理疾病的病因病機、診察辨證、治法用藥、預後轉歸和臨機應變，對其間邏輯關係的梳理，方法獨特、直觀明了、絲絲入扣，能够從根本上幫助讀者提升臨床應用能力。曲直瀨道三最爲人稱道的《啓迪集》正是在此書的基礎上進一步完善後完成的。

侯如艷　蕭永芝

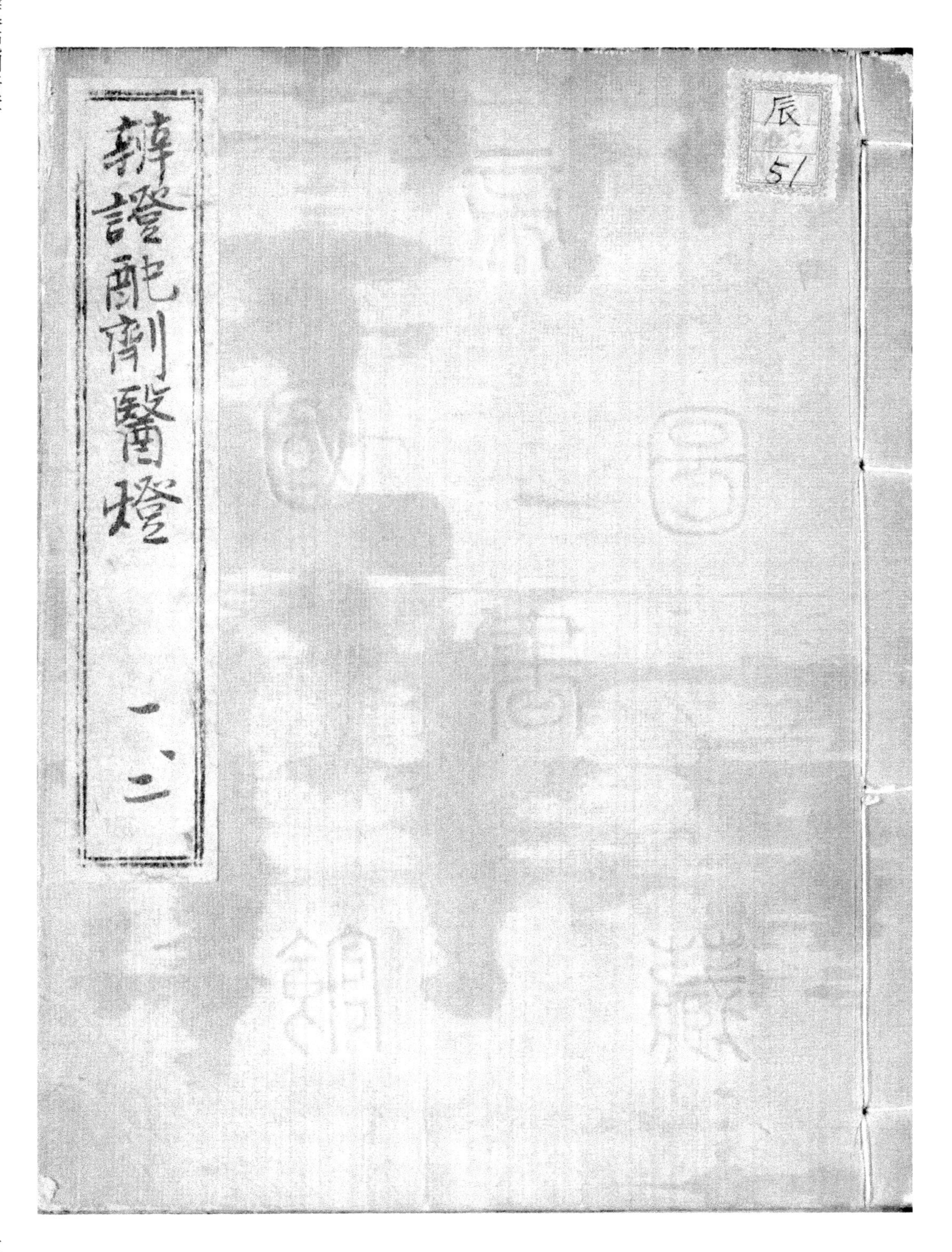
辨證配劑醫燈
一、二
辰
51

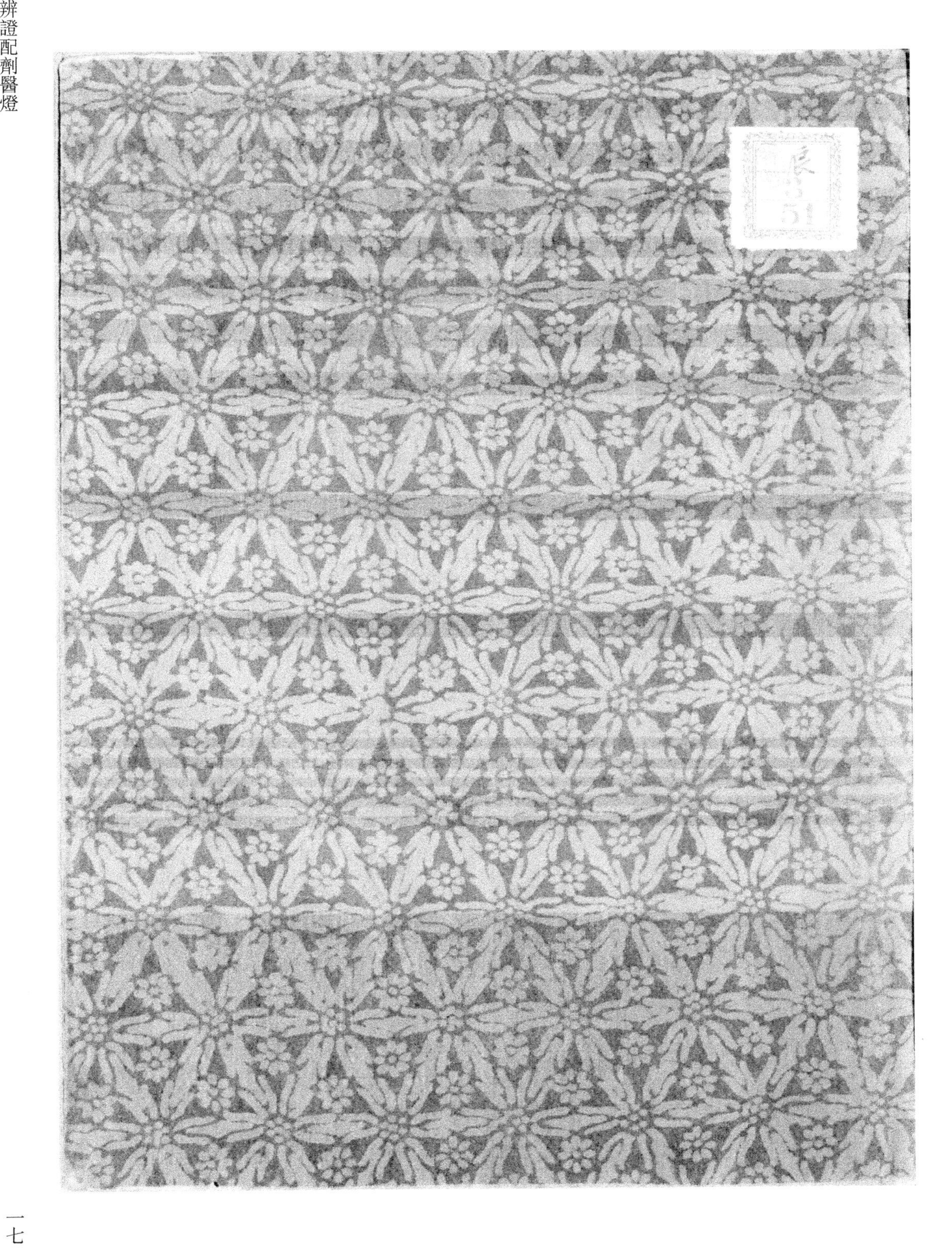

辨證配劑醫燈卷之一目録

痞滿
泄瀉
水腫
頭痛
腹痛
腰痛

痢
脹滿
積聚
心痛
脇痛
脚氣

辨證配劑醫燈卷之一

日東 雖知若齋 道三 校錄

中風 傳 惠

肥盛者間而有形盛氣衰如無耳

亘弁

丹溪曰有 氣虛 參芪朮苓草 / 血虛 芎芍地黄桂姜汁 / 痰盛 陳半南生姜

百病皆曰本三先生中風言其曰

證標古人中風言其證

本標

緩急則治其本標

本 補氣益血滋精

標 去痰通氣逐風

病退神復當改用丹溪之法補氣補血清痰之劑養之

血氣

○左右脉不足　左右身不遂　全四物補血加紅花　四君補氣芪生姜

○痰盛二陳導痰

○氣血兩虛挾痰八物加南半姜汁枳実竹瀝

○真元復痰消風邪未退愈風湯通聖散之類加減而用

慎

○汗多則虛衛　下則損栄

中經

外無六經之形證　內無便溺之阻隔　四肢不遂言澁邪中經又從中治不可下

以標本論宜養血通氣秦艽湯愈風湯治之

藏府

●不和又唇吾青身冷為入藏死　身温和汗自出為入府自愈

○遺尿氣虛用参芪

○動止筋痛是無血滋筋曰筋枯不治

血弱不養筋故不能運動舌強不能言宜養血而筋自

栄 桂地芥紅

大秦艽湯後 天陰加生姜 心下痞満加枳實

在表則辛以散之 蘇陳玄桂生姜
在裏則苦以泄之 芩虎知

肥人中风不分左右皆属痰 半南陳朴苓生姜
瘦人中风 陰虚火熱 四物栢

有真风有類风不可槩治誤人非浅

專 似

類似者

傷熱證卒暴僵仆類中风夏月卒倒内外火合炎爍

類中風氣激痰碍心竅宜吐後調理
痙諸證 諸痺 皆類風状

厥痰厥氣厥血厥酒厥似中风而湿之病口喎舌強半

身不遂渾似中風沒湿毒不可用治気中ハ涎塞

牙緊似風　但（中風　気中）脉（浮身温多　沈無）痰涎

真○真風中脉中藏中府之説面加五色有表證脉浮府悪風寒

府　拘急不仁中府也多ハ着四肢續命發表調以通聖辛涼

之剤　唇緩失音鼻塞眼瞀耳聾便秘中

藏也多滞九竅三化通其滞　朴　虎　実　羌

調以十全四物之剤

脉　外無六經之證内無便溺之阻肢不挙口不ハ言中経也

大秦艽補血　秦艽　當帰　芍　羌　玄　芩　芷　地　芩　以養筋

和藏府兩中ハ藥必兼用（先表　後通）之

通 例

〇大率主血虚有痰或挾火与湿治法以痰為先 半南陳生姜

補養次之 滋潤 栄血

〇治風之法

初 初得之即當順氣 去痰通気

久 及日久即當活血 滋血潤枯

〇醒後小便少不可利汗液外亡栄衛枯竭無以剤決熱退

汗止小便自行

〇先後之戒

不化痰順氣遽為馬附

不活血徒用防風天麻羌活

風中臟腑輙用腦麝引風入髓

深戒之

肥

肥人中者以其氣盛於外而歉於内也肺為氣出入之道

肥者氣必急痰涎壅盛所以急也理氣去痰順氣

体不遂

○若人自難能言飲食惟身体不遂急則攣躄緩則癱瘓經年不愈加減地仙丹常服　烏椒葳瓜五木　黒豆烏頭地竜

失音

○若飲食坐卧如常但失音小續命去附加菖

○肥人多湿加烏附行經

△麻痺頑疼眩暈癱瘓腳氣緩弱久病風人遇天色陰

腳膝變頑小續命加減　乞桂苓芍薬丸　参烏羌芸辛　以防瘖瘂

痛風

△痛風　痛属火者没葳知栢　腫属湿羌勝己通

○大率因血虚受熱　紅地牡芍栢知

○夜則痛行於陰也地牡勝

治温

○治以辛温　桂芸椒生姜

治涼

○治以辛涼　葳生姜羌

○流散寒湿剤通欝結 桂生姜羌 芥梔乙陳

骨 筋
脉沈而弦 沈則主骨為腎 桂羌乙 弦則主筋為肝 茱萸芥

○丹溪曰湿痰濁血流注為病在下焦路遠非烏附

不能行故為引経若為主治非無益而殺人

五蘇 地茱
○必行氣 陳芥 藿乱 流湿 乙勝車 通知沢 舒風 芸荊 苛藭 降陽 椒勝 芦目 外陰

道滞血 紅藥 杜乖 補新血 地芍 桂姜 治有先後須分腫早

○不腫

禁○不可食肉若食肉 上下有 遺溺 數食 痞悶 魚麪

○大法主南朮芷芎帰酒芩

上下
在 上 羌桂桔蔵 下 膝乙通梧 加之陳芥紅梔

氣　血

氣血虛　参朮亀板乳　有痰南半陳苓

帰芎芍紅桂

肥　瘦

○肥人ハ湿与痰注レ経脈必滑　朮南之　滑苓羌

○瘦人ハ血虛与熱脈必渋芍紅芥　膝牡鞭　梹

○下部腫痛セハ栢知膝是拠茱通　決車膠

薄桂能横ニ行手臂領南朮至痛処

葳ハ治上風虛人勿用

○久痢後脚軟疼或腫ハ亡陰也

芎帰地紅桂　氣虛参芪陳沈　湿羌瓜朮苓　不可紙作風及燥其血終不愈

△恵云因血虛熱或飲酒勝理開汗出當風所致或渉冷水

湿取風歷滑節与血氣交搏故痛血氣虛則汗ス

傷寒

專經 郎病 多爲 傳經 爵病

不當汗而汗者爲亡陽爲畜血爲衄爲下厥上竭爲咽乾爲小便淋閉不當下而下者爲結胸爲痞氣爲懊憹爲失血爲復熱

太陽者府也自背俞而入久所共知 少陰者藏也自鼻息而入人所不知

汗之急緩

羌活湯後云若急汗熱服以羹粥投之緩汗溫服不用湯投之

傷寒下後自汗虚熱不已白虎加參朮並服如神汗止身凉

婦人證治皆然惟孕婦三四月及七八月忌硝黃

女 兒
○○小兒減劑服之

○愚云丹溪曰有外感而無內傷者用仲景法挾內傷者十居八九

○東垣謂（內傷者極多 外傷者間有）是發前人所未發後人悉指為外傷大誤粗率者必殺人

○有感昜輕病不可便認為傷寒

（寒西北 溫東南）二方（肅殺之氣極寒外傷甚多 溫和之地外傷甚少）

厶三陽三陰之證脉

足太陽（一日）羌 發熱惡寒頭痛腰脊強 尺寸俱浮

三陽

足陽明 二三日 升葛 身熱目疼鼻乾不得臥 尺寸俱長

足少陽 三四日 柴 胸脇痛耳聾或 口苦舌乾 寒熱而嘔 尺寸俱弦

足太陰 四五日 芍朴 腹滿咽乾手足自溫 自利不渴 腹痛 寸尺俱沉細

足少陰 五六日 独 口燥舌乾而惡寒尺寸俱沉

足厥陰 六七日 柴 煩滿舌囊縮尺寸俱微緩

厶表裏款

表 發熱惡寒身体痛脉浮屬表要君知

裏 若不惡寒反惡熱汗多屬裏是無疑

表 裏 仲景曰 日數雖多有表證脉浮尤宜汗 日數雖少有裏證脉沉尤可下 不可執定日數

厶汗下吐之謹

大脉弱而无力者切忌（汗下／發吐）但宜和之（柴芩參麥半夏生姜）

寸

ム審察之次序

○先看面目次看口舌後以手按其心胸至小腹有无痛滿

如（目開欲見人屬陽／目閉不欲見人屬陰）目睛黃愈也

○睛不明神水已竭難治○胞陷直視必死○舌上白胎爲

熱黃熱甚黑及生芒刺死凡見厥冷下利讝語者不治

熱○腹痛甚飲凉水一盞熱痛宜清之遶臍硬痛大便

實煩渴燥糞痛下之（朴虎實）食積痛同治

飲水除痛屬寒溫（桂陳枳）和之

○傷寒血流不止烘黑梔末吹入鼻中

○傷寒發黄用姜柤遍身擦退

△惡寒表裏

△頭痛身熱惡寒者表惡寒辛平散之（桂 陳 蘇 藕 葱 生姜）

○頭不痛身不熱而惡寒厥冷蜷卧不渴或吐腹痛（裏）

戰慄者裏惡寒辛熱温之（干姜 附 烏）

△小水不和（知 通）大便實（虎）小腹滿（枳 朴）燥渴（芩 同）譫語（虎）怕熱（梔）身目黄濕（栢 葉）

熱發黄也与血黄不同輕則疎利重則大下

△天氣太冷人多知避天時温煖人就疎略或於風凉處輕

△夜久於坐卧不覺感邪

△中暑

静　動

公患云（静／動）而得之為中（暑陰證／熱陽病）

暑○避暑着於深堂大廈得之者中暑其病頭痛惡寒身急肢疼煩心肌熱無汗為堂室陰寒所遏周身陽氣不得伸越以大順主之姜桂杏草　為末溫湯白服

熱○行人農夫日中勞役得之者中熱其病頭痛發躁熱惡熱剋之肌膚大熱渴甚汗大泄無氣以動乃為天熱傷肺氣白虎主之膏知草　右剉入粳米一撮煎服之

○辨治

○内外俱熱口乾煩躁肢冷不痛白虎

○瘧逆惡寒〻橘皮湯草陳參　加竹若不惡寒〻竹葉石膏湯

○頭疼煩躁惡心心下不快五苓　茯朮苓桂猪

去茯苓加麥門冬半夏甘草 竹葉石膏湯 煎服

霍乱吐瀉腹痛香薷飲　薷朴白藊

傳曰夏月生脉散　門 参 五　加茯苓令人氣力湧出孫真人

曰夏月必服五味子以補五藏

中湿　夏熱則万物湿潤　秋涼則万物乾燥

内　或　居卑湿之地　衝什風雨　辛苦汗沾衣　為外感湿　宜汗散

外　或　恣飲漿酪　多食果瓜　為内傷湿　疎通滲泄

血　清道不通　故首重似有物蒙之失而不治

筋　湿蒸為熱　熱傷血不能養筋故拘攣　湿傷筋不能束骨故痿弱　今人見勝間開節

腫痛為風誤治ス矣

表 裏

○脉 浮而緩表湿
沈而緩裏湿

上

湿在上宜微汗 治以若湿朮陳羌
佐以芎辛桂生姜芎

○以汗為効不欲汗多故不用麻葛ニシ

下

湿在中下宜利小便淡滲治湿乙苓沢

二陳加防芩蒼朮通羌散風行湿最妙

○濕勝身重陽微中风汗出悪風 用茂芎実表
以乙朮勝湿

戟

風藥能勝湿 上湿ニハ羌陳桂生姜朮芸

刑

治湿利小便為上策 下湿ハ伏苓滑猪
椶瘥ニ朮

公林ニ曰湿 熱多
寒少 以脉證明之

熱　脉滑数小便赤渋引飲湿熱己汉猪薏通木

寒　脉沈緩小便清利大便溏身疼自汗為寒湿桂生姜朮生附

燥

公林曰經曰諸渋枯涸乾勁皴揭皆属於燥

裏　大便閉結或消渇之類為裏燥

表　皮膚燥渋乾疲爪枯之類表燥　於渇結陰結氣盛母

痿厥風熱可得而悉

公傳曰諸憤鬱病痿皆屬肺金燥之化也

持歩　是以掌足得血能持安為痿者血衰不能養百骸也

○皮膚皴揭折裂衣血出大痛或肌膚燥痒皆火爍肺金燥之
甚也四物去芎（苄地 芍）加門参玄栝天花
筋△林同熱地生地白芍黄芩芷羌花帰膏耳治血衄痿瘧痛
燥肢不動爪乾
腸○麻仁乾仁杏仁帰尾羌活秦艽大黄芍朴実治脾胃伏
火大便澁燥全不思食風秘血秘以踈風潤燥和血自然
潤通矣（苄地紅乾芍血秘　羌杏麻仁虎朴実風秘）
潤利○下焦燥埶小便澁而数（熱地牡黄山茱　沢苓）
○火埶
火起於妄変化無測測

虛
实

脉浮而洪、数虚火
沉而实大实火

陰虛則病
絶則死

实火可瀉黄連解毒之類
虛實補参朮生芽之類

實者邪氣之實也
虛者正氣之虛也

補陰火自降

△氣有餘便是火

氣從左邊發肝火瀉青
臍下起陰火地栢黄

○降瀉邪火之劑木通下行瀉小腸火

尿積之白行

人中白瀉肝火又瀉三焦火膀胱火小便降火極速

梔子能從小便降火上中焦連殼
下焦去殼

○隂虚發熱四物芍芎加炒栢炒知降火補隂之妙剤

○手心熱屬熱鬱 梔芍芷青〻半

〇四物加白馬脛骨降隂火代芩連用

○千金麥門冬湯後曰 病後肺火麻黄 湯而頭痛半表 不宜

三黄丸後 芩 宜実熱 忌虚熱傷肺気

連瀉中焦火 宜中實 忌脾胃虚

〇林曰連瀉心火芩瀉肺火芍瀉脾火柴瀉肝火知瀉腎火皆

苦寒之剤能瀉有餘之火耳

若飲食労倦内傷元気火不兩立為陽虚之病以甘温除

之參芪耳〻屬

○若陰微陽強相火盛兼陰倍月漸煎熬爲血虛之病以平寒降之地歸之屬

○若心火亢極爵熱內實爲陽強之病以鹹冷折之硝黄之屬

○若腎水受傷其陰失守無根之火爲陰虛之病以壯水劑之生地玄參之屬

○若右腎命門火衰爲陽脫之病以溫熱濟之附姜之屬

○若胃虛過食冷物抑遏陽氣於脾土爲火爵之病以升散發之升葛之屬

內傷

勞倦 飲食

惠曰傷諸書以飲食或虛損爲內傷

東垣以勞倦与飲食之病為內傷

外感

△內外弁察

〇外傷人迎脉大於気口證顕在鼻故鼻気不利發言壯厲寒熱齊作而無間悪寒迎烈火不除手背熱而手心不熱

〇內傷気口脉大於人迎顕證在口故口不知味腹中不和出言懶怯悪寒就煖即解手心熱而手背不熱

內外兼病脉證必並見　內外證多則以補養為先發散為急

〇內傷者多有挾痰有挾外邪有熱欝於內而發者皆以補元氣為主看所挾而兼用藥

△傳曰傷挾痰与食然気塞于胷清気欝于下之候驟以補中益氣

等藥一試則氣滿痞塞遂謂

禁 補藥不宜於此證改用汗下而死

○調中益氣湯後曰空心溫服寧心絕思慮必神効

症之準繩

○大便（虛坐不得）了而不了腹中逼迫血塵血澁用歸

○飲食勞倦所得之病當用溫平

辛ザ 辛多 辛多之藥治之 參茯苓朴枳大棗 升柴陳半朴羌生姜

窄 硬

○升陽補氣湯後曰 腹脹及窄狹加朴 腹中似硬加縮

○施治方喜食一二日不可飽食

○用藥之須飲食行動規矩

○滇滋味之食或美食助其菜力益升浮之氣滋其胃氣

慎不可淡食以損菜力而助邪氣降沈

○苛〔竹〕〔役〕勞役形体使胃与菜得轉運升發慎毋大勞役使氣 復傷

〔滋〕〔淡〕私曰忽得准知 治〔三〕虚実戒滋味 治〔三〕虚脱一禁淡味一

〔果〕公林曰升陽益胃湯後胃氣稍強少食果以助穀菜之力

經曰穀 果為 養 助者也

○林曰服〔酒〕湯後曰食遠服得微汗〔酒〕痛去矣

〔△〕〔鬱〕 惠 傳

〔六〕〔鬱〕○七情之過 寒熱之侵 氣鬱肖脇痛脉沈濇蒼木芎

○酒漿之積 雨湿之侵 湿鬱周身走痛脉沈細梔伏蒼木芎

○熱鬱而成痿眼昏尿赤脈沈數梔芎黛木莎

○痰鬱而成癖動則喘寸脈沈滑莎南蔞海石

○血鬱而為癥四肢無力能食便紅脈沈芤紅黛芎莎

○食鬱而成痞滿噯酸不食腹飽（左脈平 右寸緊盛）莎朮山查神麯針醋炒

右六者相因為病也（順氣為先 消積次之）

○手足心發熱屬火鬱

火鬱四時

○諸鬱（春加去 夏加苦參 秋冬加吳茱）總解鬱朮芎

○香附能橫行胸膈間必用童便浸焙否則燥

詳○凡所病之當詢患者曰何叓而致則當因其叓而解之方

進茶治

○痰飲

○患〻曰痰之爲病大奪於脾胃則倏然仆地爲痰厥也并於

肺則喘急咳嗽　苓陳蓁目

迷於心則怔忡恍惚　苓陳草

走肝則脇肋脹滿　青奴芥白芥

關腎則不哈而多痰唾　苓目半生姜

留胃脘則嘔浮而作　陳朮芥

咽膈不利眉稜骨痛　半陳芥

入腸則漉〃有声半夏茯苓皆痰

散背則一点痛或冷或麻羌半桂

飲所致〃以順氣為先分導次之生姜

△辨治

痰因火盛逆上治火為先芩膏朮梔

湿痰多軟如身倦〃類二朮

风痰南星白附陳半

老痰海石半蔞茹五倍蛤粉

食積痰神麴麦芽山查或化痰丸消積菜攻之南半〃蒼辰 青莪朴

氣虚用補氣参苓陳茱莢之酒痰三八黛蔞蜜丸

嗆化綿梔膏

凡病陰火上升津液生痰不生血宜補血制相火　生姜　桂

桂陳芎
苓栢梔　虛人中焦有痰胃氣亦賴所養不可便攻尽

則愈虛治痰用利藥過多致脾氣下虛痰反易生　姜　术為使

而多痰在腸胃可下　苓自桂

吐
痰在經絡中宜吐〻中就有發散〻義如芸梔桔芎

生姜芽茶之類升提其氣便吐也

吐
痰在脇下非白芥子不能達痰在皮裏膜外非姜汁竹

瀝不除痰核在咽中燥不能出入化痰藥

加鹹能軟堅〻味姜杏桔麹海石佐以朴硝以姜汁

蜜丸噙之 蛤粉契痰能降濕契痰能燥結痰能軟

頑痰能消未可入丸不入煎

枳殼復痰衝墻倒壁

痰證得濇脈代痰膠固脈道阻滯也卒難開難治

公傳曰兩手關前脈浮滑大而實膈上稠痰宜吐

○病人百藥不效關脈伏而大者痰也

○眼胞眼下如烟薰黑者痰也

○吐法宜先升提其氣先以布勒腰腹於無風處行之若

梔桔芎茶生姜汲之探吐

○油炒半夏治濕痰喘心痛粥丸姜湯下

○芩治痰假其下火

○天花粉能降膈上熱痰

○竹瀝治熱痰能養血清熱有厥痰不着人莫能死者灌〻竹瀝逐〻難起死回生藥也

○二陳一身〻痰都管 引上柴风升 引下梔通已

右偏頭痛二陳加芎芷芸荊奇升

左偏頭痛二陳合四物加芸荊

柴芩蔓

中 頂痛二陳加芎藁升柴蔓細奇

住 目間骨膊大痛如刀錐 痰

未
至脘背痛止而膝髎劑大痛
飲隨氣升降故也
○出右四要云臆膨脹痰藥則痰去
公弁疑云涎者脾胃之津液結為痰者病名也人皆有之
目
貴乎順行則無倒上之理過思傷食因氣化多痰
散則有考
聚則不利
皆痰所致也
陳 藊 生姜 桂
苓 目 痰 沃
先
本
○治法
順氣為先氣順則津流通 陳
實脾為本脾實則收約飲 术
苓 目
欬嗽
傳 絡有冬
惠
肺氣
欬
先痰
有声
肺氣傷而清
杏 升 玄 芸 桔 貝 生姜
門 麦 枇 陳 貝
脾湿
嗽
無声
有痰
脾湿動為痰
半 术 玄 殼 牙
目 苓 陳 枇

氣逆

欬嗽（有声 有痰）因傷肺氣動於湿欬而嗽 朮 半 苡 殼 芽 陳 苓 甘

久不愈加設膠以鴨合桂款冬菀合 含

△脉弁

浮緊屬寒沈數沈數實熱洪滑多痰皆屬外感

宜補祛邪降火不可補陰濇甘血肺氣散而不収宜斂肺 冬 玄 膠 梅

△辨治

○風寒（鼻塞声 重惡寒）主發散行痰 麻 杏 桔 生姜 陳 蘇

○風入肺久嗽雄 欵為末和艾取烟入唯

○火嗽有声痰少面赤主降火清金化痰 芩 姜 代 黑 桔 半 青 門 縮 杏 瓜 生姜 傳 玄 不 博 舟 海石

○乾欬火嗽之甚難治火邪在肺用補陰降火不甚則成勞 梔 芩 壽者有之 之頻

○痰嗽着痰火熱急（火急先治火，痰緩急先治痰）

痰嗽々動有痰乾痰々出嗽止主豁痰

○労嗽盜汗兼痰作寒熱主補陰清金四物加竹瀝姜

汁

○陰虛火動而嗽四物加二陳加栢知尤妙

○陰虛喘嗽或吐紅四物加知栢参桑門玄蘗

○乾嗽血虛麦熱代黛蛤粉（丸上栀仁合 紅柈黛）蜜調服之

○肺脹動則喘滿氣急息重是也主收斂也主訶子佐海粉

海代黛杏脹而嗽遍不得眠難治

○嗽而脇痛青皮疏肝氣後二陳加蒼代黛姜汁

晨　○五更嗽胃有食積無時火氣流於肺知録降肺火貝膏降胃火

早　上半日嗽多者胃中有火膏胃升膏

午　午後嗽陰虛四物加知母柏降火枹録

晩　昏嗽火氣浮於肺不宜凉藥玄五倍斂之

△治嗽藥功

藥　玄及酸苦有収斂降火之功驟用則閉其邪先發散

奇　杏散肺氣風熱因於寒者為宜桑滾肺氣性不純良戒多

功　用馬兜去肺熱補肺

生姜辛發散去湿痰止嘔姜耳補肺潤肺降氣

次序　△傳曰治欬嗽治痰為先治痰須氣為先

四時　虛實　慎　新

○嗽而無痰以辛甘潤其肺

○吸菸烟入喉姜湯送下

○過冬則發喘嗽亦寒包熱解表熱自除

○凡
- 春是春升之氣　芎芩桔
- 夏是火炎於上　梔芩栢門
- 秋是濕熱傷肺　日芩桑
- 冬是風寒外來　桂麻蘇陳

○肺
- 虛久嗽五味兜
- 實有火邪芩桑杏天花

○治嗽必用五味然有外邪者驟用之恐閉住邪氣先發散後用之

○二陳治嗽去痰代病根之藥也陰虛火盛乾咳勿用之

○新嗽挾虛用參風寒邪盛不用參

○久嗽有熱加忍冬久嗽肺虛加兜五味兜鵬款合之

○林曰日損嗆血嗽沒藥藕節

哮喘 喘促而唯中加水雞聲謂之哮
氣促而連屬不能以息謂之喘

回 ○病曰 痰火内鬱 風寒外束

宜分 ○喘證有 虚 實 治法天淵之隔者也

脉證 ○喘脉 滑而浮生 濇而數死 手足 温生 冷死

須辨 ○脉數有熱喘咳吐血上氣不得卧者死

○陰虚氣喘四物為君 氣火加橘耳降氣補陰合并

○凡喘之未發特扶正氣為主 已發攻邪為主

○氣虚喘參芪補之用籙門灸栢

○火證急喘不用者 寒冬椒目細末 姜湯調下

虚 實 ○肺 虚喘膠參玄 實喘桑麻杏蘆

曰公惠曰喘者肺以清陽上升之氣為六淫七情所傷感食飽動作而藏氣不和呼吸之息不得宣暢而為喘急

○又脾胃俱虛体弱之人發喘

源

○又曰痰氣皆能發喘

肺　脾

先喘/脹後脹/喘主於肺/脾

公弁治

○痰者降痰化氣為主　目陳参朴

○火炎者降（連）心火　清肺金　芩梔門

○喘甚之忌苦寒火氣感故也宜温劫之後曰痰/火治痰/火

○上氣喘而躁者為肺脹欲作風水宜汗麻陳蘇生姜

○風寒傷者必上氣急不得卧唯中有痰或痰不出三拗湯 杏 芋麻 并自陳蘇子

○虚喘脉微色青黑肢冷泉多五味子湯 参覚陳芋桂采

瘧

○患因外感四氣内動七情飲食飢飽房室勞役皆能致之

○夏月汗出腠理開或入水或乘風凉遂閉其汗或傷暑着至秋新凉所襲而發

○因飲食者悪聞食氣

○有疫瘧一歲間長幼相似

證狀 ○初發時有寒熱併作頭身疼痛類傷寒

脉 ○但瘧脉弦（弦數多熱／弦遲多寒）

○亦有久病脉虛微而無力然虛中見弦

○治法

○初發未并五積○三發後不可遽截但用清脾飲（朴梅半青／良菓芩）

次加常山截之久則氣体虛弱難愈有久寒多熱宜人參

養胃湯朴木半參茯果藿陳草

禁 ○愈後大忌食煎炒香腥之物犯者復發

○丹溪曰（無汗要有汗散邪爲主帶補／有汗要無汗扶正氣爲主帶散邪）

○在（陽／陰）分者（易／難）治 并陳苓柴截散用青檳朴稜莪朮紅蛤

○治瘧毋必毒藥消之行氣消湿為主

陽隂

○起於三陽者多熱發於晝
三隂者寒多熱少發於夜

慎

○愈後隂陽兩虛多遺咳嗽不善保養遂成勞瘵能清心節
食自然愈矣

外感戒

○傳曰夏感暑秋風皆外邪故非汗多不解

○今遇此瘧者經再三劫試胃氣重傷何由得愈

補行

欲治此證必君參朮補之加柴葛發散漸而取汗得汗而虛又行補養

下体虛作隂難得汗補藥力到汗出至足方住非

瘧

凡三日一發邪入三隂

子午卯酉作少隂
寅申巳亥作厥隂
辰戌丑未作太隂
瘧也

○忌飽食發目飽食病重

○虛者用參朮一二貼托住真氣不使下陷後用他藥

○瘧渴用生地麦門膝知葛天花炒梔生草

△子午卯酉日發少陰瘧寅申巳亥日發厥陰瘧辰戌丑未日發太陰瘧

一人晝發陰中之陽宜補氣解表小柴胡倍柴參加朮芎陳葛（晝夜異治）

一人夜發陰中之陰宜補血疏肝小柴胡合四物加青各加棗姜

加朮發前之時服每日一貼八日得大汗而愈永不再举

△霍乱 傳 惠

揮霍変乱卒起多因（傷寒 飲食）陰陽乖隔（上吐 下利）騷擾痛悶

非因鬼邪皆飮食所致

治法 先心痛則先吐
腹痛則先利 心腹俱痛則吐利並作甚則轉筋入腹則

斃 邪在上焦則吐
下焦則瀉 邪在中焦則既吐且瀉

當引清氣上升
使濁氣下降

戒 仲景曰熱多欲飲水五苓散
寒多不飲水理中丸

○米湯雖一呷下咽立死待吐瀉止過半日飢甚方與稀粥

灸 ○霍亂已死胷尚暖以塩填臍孔灸之

○吐瀉不止 天樞在臍心兩傍各開二寸
氣海在臍下一寸半
中脘在臍上四寸 四穴

灸之立愈

渴 熱多而渴五苓散五味門冬
寒多而不渴生姜理中湯

○轉筋屬血熱四物加木南紅沂苓煎服 男子以手挽其陰 女子以手韋其乳

△乾霍亂最難治忽然心腹刺痛 上不得吐 下不得泄

所傷之物不得出正氣隔絕多不治死在須臾用鹽湯

雞翎探吐以提其氣是良法

△嘔吐噦 胃 嘔吐噦之樣同附惡心 揔

傳曰

三陽

嘔陽明多血多氣有聲有物氣血俱病 朴膏

吐太陽多血少氣 有聲 有物無聲血病 半橘

噦少陽多氣少血有聲無物氣病 生姜汁

△氣積寒之三吐

氣　上焦吐氣脉浮洪吐渴大便結氣上發痛治降氣　叙亣陳縮寺

積　中焦吐積脉浮長痛而吐々而痛治枳ハ榔木香行氣　縮生姜　朴陳寺

寒　下焦吐寒脉沉遲朝食夕吐小便清大便結治温寒通秘　乖桂寺　枳朴姜

○久病氣虛胃裏甚聞穀氣而呕者　参朮陳縮亣生姜

○生姜呕家之聖藥也氣逆者以辛散之

○呕吐切不不可下逆之也

○胃熱膈痰常呕水噯氣呑酸　竹梔連　半陳亣　生姜

厶惠曰呕吐宜弁治

○寒而呕吐則喜熱惡寒肢凄宜温　桂陳

○熱而呕吐則喜冷惡熱煩躁中乾

○痰水證吐沫怔忡先渴後嘔消痰逐水

○脩食胸腹脹滿噯消食去積 朴莪

○腥臊氣熏炙惡心成膿血之聚須治膿乃自愈

戒

○夏月吐不止五苓加姜汁

○吐虫而嘔鈆炒成灰檳末米飲調服

○注船大渴童便飲之如飲水即死 俗名醉船

厶惡心欲吐不吐心中兀兀人如畏舟船

有熱、虛、痰皆生姜隨證下藥 梔連門芩 參朮縮 陳半苓

○惡心吐水心胃痛得食暫止飢則痛甚胃中有虫

也二陳加陳根史君煎服

噎膈　惠　傳

慎　惠曰噎生於血乾血隱主靜內外兩靜則藏府之火不起

而金水二氣有養陰血自生腸胃津液傳化合宜何

噎之有

戒　傳曰醫當知此意不可以燥熱之劑以火濟火何異刺人殺之

弁　○脈弁大率血虛氣虛有熱有痰脈緩/數而無力氣/血虛

寸關沉伏而大痰/沉濇氣滯結

反男脈緊而滑其病難治

血/氣脈濇而小血/大而弱氣不足

○如羊屎者不治大腸無液也年高者不治

○口中多沫氣血俱虛必死

治法

○童便韭汁竹瀝姜汁牛乳

氣虛 右脈無力 ——四君子

血虛 左脈無力 ——四物湯

痰 ○有痰二陳為主

火 ○內有隱火上炎反胃作隱火治栢芩梔薏

○氣結用開道之劑二陳生姜汁

痰 ○有積血消息去之韭汁去膈上痰血

瘦 血虛 瘦弱 ——二陳合四物加杏仁紅花韭汁童便

肥 氣虛 肥人 ——二陳合四君加竹瀝姜汁

○七情欝結氣噎二陳ニ加莎芎朮拱萎縮

閏　公膈噎之大便結四物ニ加ニ童便韭汁多飲牛羊乳

策　爲上策不可以人乳代之乳内有烹飪之火七情之火也

私曰用情快薄味乳汁方佳矣　十三

吐涎　上
燥屎　下　焦　濕熱欝結成痰
　　　　　　血少故大便燥

四君補氣
四物生血　三合成劑
二陳袪痰

治例　公老婦勤女工膈噎半年飲食不進大便結燥不行

十數日小腹隱痛六脉沉伏以生韭七ケ細嚼生韭汁

一盞送下

○田螺殼燒灰爲末脹蚌殼灰末酒脹同意

○一人患噎只服蜜經五六年方瘥

○丹溪治因酒滯血致病生韭汁每服半盞至二斤愈

餩逆 東醫寶鑑 傳

氣逆也氣自臍下直衝上出於口而作聲之名也

依正法治之者尚不能保其一二而况誤醫者乎

弁目

有

因實者

過食填胷氣不通者

痰閉上文起下氣不伸者

傷寒陽明内實失下而清氣不升濁氣不降而餩者上

脉

○右關脉弦木乘土侵犯治

痘 弁 弁治

○有 痰 / 氣虛 / 虛火上衝 視有餘不足治之 陳半 / 参朮 / 連栢

○或 痰火食在上吐之 / 不足者補之参朮煎湯下大補丸

○痢發餩参朮類服

○無別病而偶然致餩逆無害吃熱一二口即止茶

○灸餩逆 乳根二穴直乳一寸六分 / 氣海一穴臍下一寸半 各七壯

○以紙撚自鼻嚏之而止皆○詐冤盜賊恐而止皆鼻熱聞食香

○調氣而止皆 掃ヽ / 驚ヽ 使氣下也

傷寒七日熱退餩發六脉沈細無力大候補中益氣

大劑加炮附煎与灸乳根氣海餩止脉充而安

○傷寒論云歘逆而脉散者死ス
治人書以爲極惡

合呑酸 如食物在器而覆蓋熱自酸

○火盛剋金不能平木肝木自甚故爲酸

治○或微而止爲中酸俗謂之嘈心宜温藥散之猶傷寒解表

次序 慎○若久呑酸不已則不宜温以寒藥治之後以凉藥調之 結散 熱者 則氣和矣

○吐清水苓滑陳壁土炒之朮橘

慎 忌粘滑油膩
宜糲（不擣米）食菜蔬

合痞滿 傳惠 痞与否同不通泰也

痞　心膊痞悶而不痛外無脹急之形為痞滿

脹　内外皆脹急者為膧脹

積　聚而成塊者為積塊

因　痞由陰伏陽蓄氣与血不運而成処心下位中央䐜滿痞塞皆土之病也

実 実痞大便閉能食厚朴枳実湯主之

虚 虚　利不能食苟葉陳皮朮治之

剤　弁

連苓実苦以泄之

朴半生姜辛以散之

参朮苦甘温以補之

苓茯鹹淡以滲之

湿痰　鬱　弁治

肥人多湿痰，朮半叁滑之類
瘦人多鬱熱，实連導之，升葛發之

○食後冒风寒，食不消而作痞，温以化之，陳朴

○脾弱轉運不調，飲食不化而痞，朮查芽麯之類消之

○中焦自覺滿而外無脹急之形，分食耳

下虚之人氣上控膈，心下堅滿痞急，若痺如刺，不得俛仰，名曰胸痹，瓜蔞实丸

○痞挾血成窠囊，桃紅莪虎之類

○雖有當吐之證，冬月降沉之令未行之，而年二月許劑　倉

法手安

治○傷寒下早而痞瀉心湯

治○酒積雜病下之過亦作痞宜升

戒 參芽升 胃氣以血藥兼之全用藥則痞血甚後下之升提氣愈下降変

○辨證

有中氣虛弱不能運化精微而痞者參升朮生姜鼓脹

有飲食痰積不能施化者朮陳朴生姜

有濕熱太甚者門芩連芩

有誤下致內虛邪入者桂陳朴外

戒○世以痞滿作氣塞誤人多矣若脹塞喜行利藥暫時

禁 通快病益滋皆不察下多亡陰之意也○忌酒麵魚

△痢 惠傳

赤 白 屬 血 氣 自 小 大 腸來皆濕熱為本

△下痢脉微小生大浮洪無差日

○下痢脈數有微熱自汗自愈若緊為未解

惡候 下痢肢冷無脈者灸之肢不温脈不還反微喘死

不治 下痢純血如塵腐色者如屋漏水者大孔如竹筒者唇如朱血者俱不治

厶治法

劑 先用寒以滌熱 梔芩 枳芍 微加辛熱佐之 朴陳 桂生姜枳桔

序 次以若燥濕 蒼朮

次為發散開通之用如此多効何必用熱毒之藥乎

行血則便自安

調氣則後重除

○初得元氣未虛必推蕩調胃兼氣下後看氣血用治

凡五六日後不可下中氣虛故也壯實者亦可下虛弱衰老者

久病宜升之（参芎升）

○初起腹痛自肺氣游在大腸之門
實者下之
虛者桔開之

痛用温藥
姜桂之屬
不可參朮緩氣虛胃虛皆不用

○腹痛白芍甘草為君
惡寒加桂
惡熱加栢

○避其來銳
擊其惰歸

○後重積與氣墜下宜利氣兼升兼消（檳枳陳　升柴　朴兆）木香檳榔丸甚者（大黄）

○發熱惡寒身頭痛宜微汗术芎陳甘生姜

○身熱不惡寒小柴胡去參

○下血者宜凉血活血芎桃苓 梔芍牡紅 疮難芥犀

○風邪下陷升提之 羌升

○有濕傷血行濕清熱 白芩閒連 芍芩知

○血痢久不愈屬陰虛四物為主 桂紅

○大孔痛目熱流於下宜芩連加干姜

○久病身冷自汗脉沉小宜温之 桂朮

暴病身熱脉洪宜清之 芩連

乃候氣并惡食證下虛上宜朮芎甚者加陳參虛回而痢自止

久濇

○久痢体虛氣弱泄不止宜澁之訶蔻礬半蚄之類擇了

久灸

用之須陳皮為佐恐太澁亦能作疼 又甚者灸天枢氣海

○痢後積已盡糟粕未實者食稍多腹中作痛以朮陳等

分煎脹和之

無害

○血和積ハ廿但虚坐努力為無血倍歸身尾生地兎仁佗之

陳皮和之血生自安

○痢後脚弱漸細末芍亀板槁糊丸之四物加陳皮耳煎湯下之

○痢有表悪寒發熱 陳桂羌生姜

身首倶痛 并苓

裏必後重窘 枳ハ陳芍紅桃

迫脹痛ス

ム行鬆滯之氣用厚朴滯氣積行則去〻积ハ鬆雖廿緩亦

兵

不宜又脹桃只ハ以陳皮和葉可也紅

○痢已藏十之七八藏積已尽〻糟粕未実用芍芍朮炙甘橘

苓煎湯下固腸丸若滯氣未尽〻除者不可遽用

○癥積已愈而更衰未息大腸不行收令故也若時用淡也
蓮术 鳳尾 梅縞 [illegible]

○噤口痢試之殺人於反掌之間雖不死亦成休息痢二三年不愈

○禁口痢胃口熱甚故也
內服參連煎入竹茹
外用螺搗置臍中以引下熱毒

俗用溫熱耳菜
以火濟火
以濟益滯

○用推淡不及
砒也
噤口竟
惟久之二便滑利

外因 林曰治痢先推其歲運以平其外抑喜揚下

內因 察其所爵結以調其內

不內外 審其所傷而治不內外

○後重則宜下
腹痛則宜和

○身重脉弦則 除湿去風

有外裏上下者 發下瀉渇之

○身表熱者内踈之○水便澁者分利之

○盛者和之○去者逆之○至者止之○下痢○脉沉弦者下重

○脉大者為未止○脉微弱數者為欲自止雖發熱不死

○下痢有微熱而渇脉弱者令自愈○下痢脉滑而數者有

宿食也當下之○下痢證有燥屎當下之

○時疫作痢一家一方上下傳染相似察運氣之勝伏亦不可

拘泥察虚實冷熱五苓加陳等隨證用之

○泄瀉 傳裏

弁溺　大抵洩利小便　清白不渋為寒　赤渋為熱

弁屎　大便　完穀不化身冷不渇脉遲細而微寒　穀肉消化不同色及他證斷為熱

丹溪曰屬　湿　気虚　有火三　有痰四　有食積五

一　湿坐臥湿処或脇雨久陰有之四苓散加朮白

二　気虚食入胃不住完穀不化参朮芎升陳縮

三　火腹痛水洩腸鳴一陣洩一陣火熱洩黄色赤黄肛門焦痛煩渇尿渋四苓加芩通五苓車前

四　○痰或洩或不洩　或多或少　宜豁痰芩代黒麹蛤粉海石

五　○食積腹痛甚洩洩後痛減宜清導踈滌麹虎○傷

食必噫氣和敗卵臭 朴陳神麴

○傷酒每晨起必泄理中加葛

○傷麵養胃湯加炒蘿蔔子 生蘿蔔子 益中調脹

水穀 ○泄瀉多因濕分利水穀爲上策 參陳車

分利 ○脾氣久虛不受飲食食畢腸鳴腹急盡下所食物

方寬快不食無度經年不愈宜快脾丸 縮朮陳參麴芍 芽蓮

脾 ○五更便瀉脾泄也壽脾煎 縮蓮參

瀉 ○久泄穀道不合脫肛元肛元氣下陷及大腸不行收今朮芍麯

陳蔻訶五倍烏梅爲丸四君加蒸升煎送下

○夏月水瀉桂苓甘露飲

灸穴

○吐瀉垂死灸天枢氣海立止

○泄瀉一證真須積已消然後可斷若便固止及成痢治

宜理中焦分利水穀

○經曰脉細皮寒少氣泄利前後飲食不入是謂五虛死

其漿粥入胃泄注止則虛者活

○炒焦車前子未米飲調下一錢治泄瀉不止

脹滿

因源

○經曰七情内傷六淫外侵飲食失節房勞致虛脾受

傷而轉輸失職胃受穀而不能運化於是清濁相干

隊道壅塞氣化濁血瘀鬱成熱熱久成濕濕熱相

生遂成脹滿

ム治法

補脾（參朮）養肺（门栢）制肝（柴青）滋腎（地錄）次制心火（苓連）却厚味斷妄想遠（積）

補攻

音樂無有不安治脹大法補中（參朮）行濕（苓朮）利小便（車通 明澤瀉）

交用

參朮參陳為主 苓门ソ為佐

加朴制肝

氣不運木香木通

氣下陷加升柴提之

血虛用四物行血藥

血 朝寬暮急 血虛

氣 暮寬朝急 氣虛

朝暮急 氣血俱虛

戒

○醫者不察虛實急於作効

○病者苦於脹急喜行利藥通快未幾病邪甚而真氣傷矣

肥　瘦

○脉實人壯或可攻之便収拾白朮為主朴青藭

○肥人脉脹胃苓湯○白人氣虛參朮朴陳

○瘦人脹是熱連朴芎藭

○有故畜血而脹下死血

○食積脹有熱木香檳榔丸
　　　　　寒木丁朴縮麯

○飲酒人脹尿濁夜足腫五苓芽露加參葛藿木

○因外寒鬱內熱而脹藿升桂麻葛

○因大怒而脹青抱藭木

○飲食傷氣虛中滿四君加芍芎陳朴

腫脹

公傳曰遍身面目四肢浮腫曰脹水腫
　　　腹大和皺面肢不腫曰脹滿

○噎病之起因非一年根深蒂固欲取速效自求禍耳

治清心經々火，治補養脾土全運化之職。脾與坤靜々停，胃乾健々運。

○敗濁者有上汗爲汁，下爲泉。以漸分消之。

清者後回而爲氣爲血爲津液

以辛散，苦泄，淡滲之消上下濕

○經曰開鬼門，潔淨府者，謂發汗，利小便也

○又曰清氣在下，濁氣在上，則生飧泄，膜脹

○林〻曰脹滿按之（不痛爲虛／痛者實）

○咽燥潄水驚恐痛悶喘急虛汗厥逆尿多大便黑肚腹臟脹名曰血脹芥莪桂芍半

水腫

惠〻曰水始起目窠上微腫頸脉動時咳陰股間寒足脛腫腹大水已成矣

（汗）（利）
○經曰開鬼門潔淨府治法之權衡也

（上下）
○腫已（上腫宜汗／下腫宜利小便）

（熱）陽水脉（沉數煩渴尿赤澁大便秘）

（寒）陰水脉（沉遲不煩渴尿少不赤大便溏）

○病本自中宮人只知治濕利小便之說類用去水藥導

水丸神佑丸舟車丸之類速死兆也

○腫證

○氣腫皮厚四肢瘦削腹脇膨脹 朴陳 沉香

○風腫皮膚麻木不仁走注疼痛 陳 羌 芒 芸

○血腫有紅縷赤痕 紅 花 鞭 牡

○胎水婦人宿有風濕娠則脚腫 白 苓 羌 也

○久病而浮手足皆腫是虛氣妄行 木 香

○內挾七情氣爲痰所滯心下堅脹腹脇腫脹名曰氣分流

氣飲枳朮湯 陳 枳 腹 皮

○先起於腹而後散四肢者可治 前 後 腹 肢

先起於四肢而後歸於腹者不治

○大便滑泄五穀不分唇黑缺盆平臍突足平背平或肉硬手掌無紋又曰從脚腫而上及從身上腫而下皆死

△治法

○喘急先宜降氣三和散加蘇梗石葛

○水腫併施末米飲下病在上帶皮用

○香薷治水脹有散上散下之功肺得之清化行而水自下

○針水腫惟水溝穴（一名人中）在鼻下或灸三壯鍼餘穴水盡即死

林云針分水穴殺人多矣

△傳曰水病脉如鼓脉（実生洪大生 虛死微細死）

唇腫齒焦囊莖俱腫脉絶口張足趺腫膝如斗者死

△林之知六月濕熱大甚而庶物隆盛水腫之象明可見矣故古人制以辛苦寒藥治之蓋辛以散結以苦燥濕以寒除熱而隨其利濕去結散熱退氣和而已

○治男女陰腫大如斗核痛人所不能者搗馬鞭草絞汁塗之又方用荏葉擣為泥傅之大効

△積聚　附塊

目惠曰因氣動而成者如七情所致或飲食勞倦或五藏內受之類是也

積不一　聚有異

故所積之物不一氣血之聚有殊

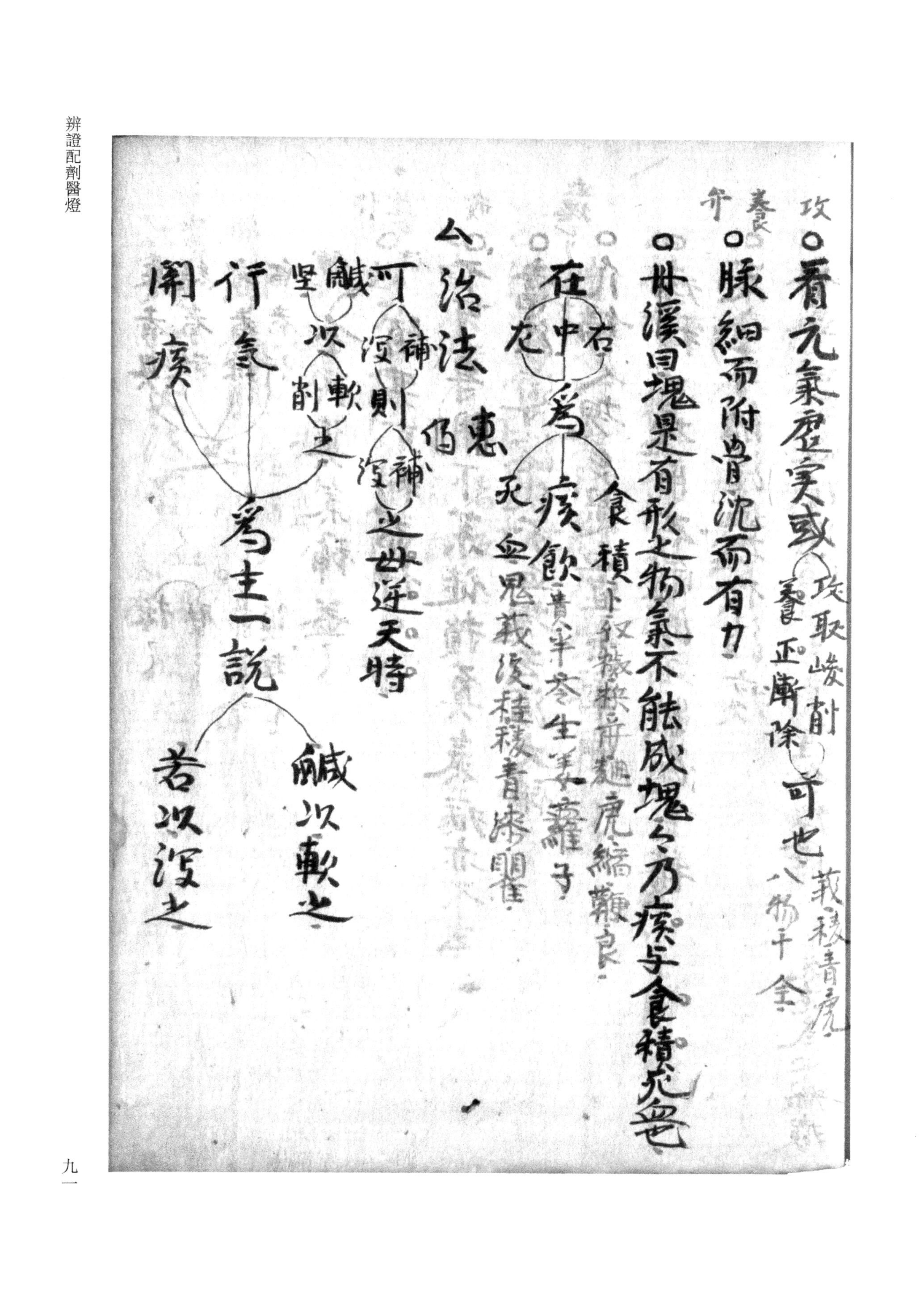

攻〇看元氣虛实或攻取峻削可也
亦〇脉細而附骨沈而有力
〇丗溪曰塊是有形之物氣不能成塊々乃痰与食積死血
在中右左為食積痰飲死血
治法惠
可補瀉則補瀉之毋逆天時
鹹以軟之堅以削之
行氣開痰為主一說鹹以軟之苦以瀉之

寒者熱之 按之
結者散之 摩之
客者除之 節飲食
留者行之 慎起居

全其真氣補益之

隨其所利而行之

戒 ○不可專用下藥徒損真氣病亦不去

○當消導溶化死血塊去須大補

血塊 ○凡婦人塊多是血宜灸章門穴

○痰積有塊用石礞滚痰消食積

○瓦壟子能消血塊次消痰

本草云，白蚬殼燒以醋淬三度埋令壞，醋膏丸治氣血癥瘕

○茶癖石膏岑升爲末糖水調服

○脾積在胃脘右側

△株〻同云胃積最深難療大忌吐涌以其下宣下肝之積便言風也吐兼汗續以磨積菜調之

○治法有上下宜吐下

○或以所惡喜者攻〻誘〻

導引

○以左足踐右足除心下積

△頭痛 偏患

脉

頭痛脉短濇死 浮滑風痰易除

血虚 氣虚

頭痛大法有血虚 氣虚 以丸右脉 弁三公

帰芎
参芪 為主

丹溪云
- 多主有痰
- 疼甚者火
- 多有風者

頭痛
- 多主痰
- 少屬火
宜清痰降火

有
- 諸經氣滯者
- 四氣外傷者
- 労役所傷者

三陽
- 太陽悪風脉浮緊 羌独芎
- 陽明自汗発熱悪寒脉浮緩長実 升葛膏芷
- 少陽往来寒熱脉弦 柴芎芩

三陰
- 太陰有痰体重腹痛脉沈緩 朮半南陳
- 少陰足寒気逆脉沈細 附細麻桂
- 厥陰吐痰沫厥冷脉浮緩 呉茱柴芎

○諸經氣滯頭痛分經理氣

○肥人濕痰半朮陳氣虛頭痛加參芪陳

○瘦人是熱酒芩芸芥血虛形瘦之歸芎芍柏風痰熱眉痛

風熱上攻蔓芎

芩芷或羌芸芎芥芩感冒羌藁芸芷○酒芩芥

公偏頭風在

右屬痰朮半芥陳

右屬熱酒芩芥

左屬風荊草芸陳

左屬血虛芎芍歸酒柏桂

宜察脉弁肥瘦

○少陽偏頭痛大便多秘下之

○頭痛欲死用硝末吹鼻再用即愈

蘿蔔汁

葫蒜汁

亦佳

眼見光而痛肝虛也歸桂茯地

骨痛目不可開風痰也芸陳芎芥

○偏頭痛連睛痛石膏鼠粘子末茶酒下

○雜著云久病頭疼略感風寒便發寒月重綿鬱熱本

熱標寒也辛溫惟當瀉火涼血爲主佐以辛溫解表　芩地芍牡陳

之劑

○一婦頭心更換疼因積憂恚治肺自愈　芩地

○年少時依氣弱常灸氣海三里至年老成熱厥頭痛雖

冬天寒風吹之痛止居暖處見烟火痛後作此灸之過也　荊芩升芍

心痛　丹溪謂胃脘痛

傳曰怒口腹好辛酸朝傷暮損日積月深自鬱成積

自積成痰々火煎熬血亦妄行痰血相雜妨碍升降

故胃脘痛吞酸嘈雜惡心皆膈噎之漸者也
俗不察例以辛香燥熱治之以火濟火遂成危劇害
其所由皆在胃脘而實不在於心也
○身犯寒氣口得寒物而痛用溫散溫利之則成熱成
熱欲行溫助熱用梔為主熱散姜汁為引
戒○若痛方止即吃物痛必後作歸咎於醫
○心痛攻腰發厥嘔吐諸藥不效探吐出痰痛止
○脉堅實不大便者可下之
○海粉新末芎梔湯入姜汁下
○痛甚脉伏宜溫藥附子之類不可參朮

○湿痰作痰白螺殼煅細末酒下

○大梔炒末煎入姜汁令辣热飲

○虫痛面白斑唇紅能食時止三陳加揀根

○虫痛

○胃脘寒而痛草豆蔻桂陳縮生姜
热鬱痛苓連梔

○男久痛黃瘦皆常如飽痛者閨四陳桃仁姜黃

劑二脈下瘀血數樣而安

ム惠曰心痛者皆女陰厥陰气上衝也

熱厥

有热厥心痛者身热足寒痛甚則煩躁而吐額汗

出知為热脈浮洪當表汗後調理

寒厥 有寒厥心痛者手足逆冷通身冷汗出便溺清利而不渴氣微力弱宜溫之桂枝參生姜

○寒厥暴痛非久病朝發夕死急當救之

是以知久病無寒暴病非熱

○病久氣血虛及素作勞羸弱之人病者皆虛痛也

炒鹽或蛎粉補之

真心 ○夫心為五臟之主果所干則甚之手足青至節即死矣

虫 ○九積虫痊風傳食飲冷熱來去是也鐵桃枝煎汁

虛 ○以物拄按而痛止者乃挾虛二陳加姜

血痛 厶平日喜食熱物以致死血留于胃口而痛桃仁承

氣下之

○時止時作飲湯水咽者死血下之

蟲痛

○心腹懊憹發々作腫聚往来上下行痛有休作

心腹懊善渴涎出面色乍青乍白乍赤咽吐清水

者蚘咬痛也

蚘

○上半日蟲頭向上易治 下半日下難治 先用肉汁及蜜引向上然後

用出以茱楝根錫灰檳榔鶴虱草之類

血

左手脉數搼多濇者有死血

濕

右手脉实痰積大是胃脘有湿而痛

○治心痛藍葉搗取汁和薑服

○婦人惡血入心脾經發作疼痛尤甚於諸痛玄胡索炒末一錢酒調服

腹痛

○傳曰痛因種々不同因

- 虛
- 實
- 傷寒
- 痰火
- 食積
- 死血

○小腹鞕滿而痛

- 氣利蓄血證
- 氣澁溺澀證也

○血虛瘦弱液涸傳送失常鬱火燥熱糞滯之腸之間而作痛況枳實大黃之類通滯止痛後務生血潤燥之類可也

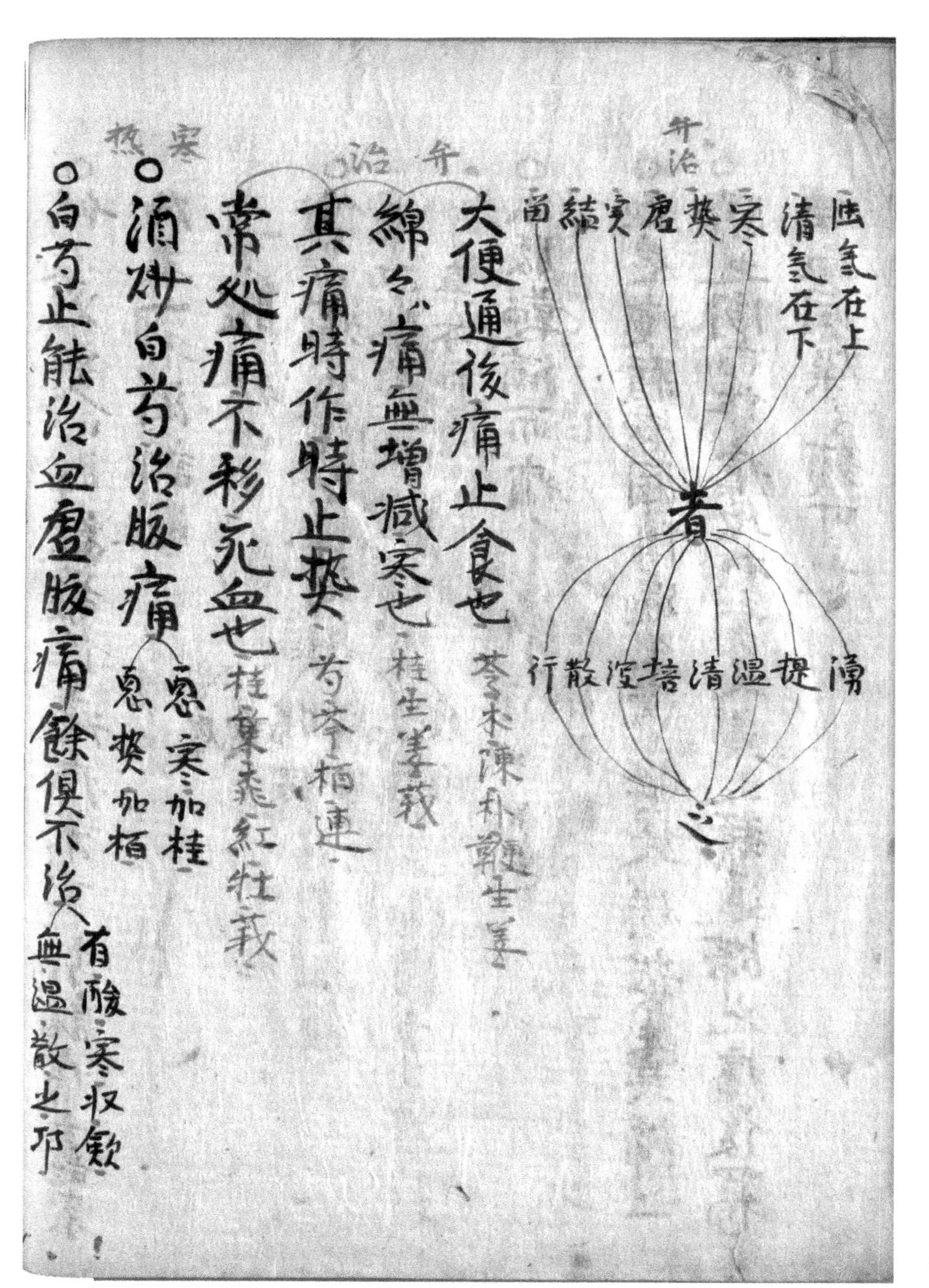
濁氣在上
清氣在下
寒
熱
虚
実
結
留
者
湯
提
温
清
培
浚
散
行
之
升治
升治
寒
熱
大便通後痛止食也
參朮陳朴乾生姜
綿綿痛無增減寒也
桂生姜莪
其痛時作時止熱
芍苓梔連
常処痛不移死血也
桂棗桃紅牡莪
○酒炒白芍治腹痛
寒加桂
熱加梔
○白芍止能治血虚腹痛餘俱不治
有酸寒收斂
無温散也耶

○虚実痛 参术姜桂 調胃 兼気加桂

瘀

○跌扑腹痛瘀血悉仁兼気加芹紅蘓木煎入童便

○腰沈足絶小腹塊痛為結糞治之

公惠曰腹痛有冷熱虚実至於血気虫積皆能作痛

諸食

○凡卒暴腹痛非中悪容忤即飲食過度腸胃不勝也

不及化傷于太陰脾経而然也宜備急丸

弁往

○大抵不通則痛 通則不痛 凡痛則須通利乃愈 虚 参术 気旺不通

○或曰痰豈能作痛丹溪曰痰因気滞而聚碍其道

路不傳運故作痛

○臍下忽大痛人中黒色多死

心腹痛ノ弁治

○心腹痛必用温散以其鬱結不行阻気不運故也

○初得元気未虚推蕩之

○壯実之人宜下

○虚人与久病 宜升 升柴参 宜消 陳縮義

弁寄 ○気血 用 気薬木檳叙附 血剤芎帰桃紅

食 ○食痛脉弦痛甚大便後痛減是也宜温散 朴陳生姜

更行気 陳檳 蒼朴 或利薬助之 檳叙黄 朴虎鞭

痰 ○有痰脉滑尿澁導痰解鬱 并芎 半陳苓

虚実之弁 ○手 可重按虚宜温補 不可按実硝黄下之

○飲食過傷而痰者木香枳椰丸下之若氣虚調胃補氣并消導苓虚者香実木芽麹之類　弁治

○小腹実痛青皮行氣因寒桂

○肥白人多氣虚兼湿痰參朮半夏陳苓

○全不思食体弱腹冷痛養胃理中湯加桂苓　不食

○小児多飲食傷朮陳査芽麹熱加苓寒加藿　児

△腹中鳴乃火撃動其水二陳加連梔亦有藏寒而鳴者　鳴

宜分三陰部而治　三

中脘太陰　升

臍腹少陰　推桂

小腹厥陰　茱　苘茱萸　陰

禁
○化脹痛忌地黄婦人尤忌之又禁下茶蓋食得寒則凝

宜
○用温散 生姜 陳朴桂 兼行氣陳皮 伏氣收

收緩散
○芍藥甘草湯治脹痛白芍甘炙加桂 收緩散

即小建中湯 收緩散之三

右細剉生姜小煎

脉
弦傷氣用木香
洪傷金加芩
濇傷血加芥
緩傷水加桂
遲傷火加姜

○林心脹痛之治法

本標
源脈
八分
有
冷
熱
實
虛
氣
血
食
虫
心腹痛
芍梔前連厚
青砂朴枳虎
桂芎參蔻椒木
青稜莪香陳桂生姜木枳
桃莪沒稜貝砂
朴茅曲陳青砂
楝椒連姜桂枳楝胡粉鶴虱
脇痛
丹溪云脇痛屬肝木氣
小柴加青芎
有
火盛 加芍膝
死血 加桃紅乳沒
痰飲 加半陳朮苓
○怒氣逆肝或謀慮不決皆使木氣實生火々
盛則肝急脈細緊而弦

○亦有脅而痛者脉沉濇

弁 木氣實芎ノ木青

肝火盛以辛散之

剖 死血宜破血行氣當小大苑仁紅芎ノ䒑

痰流注二陳加南木芎ノ

脈痛發寒熱小柴胡

咳而脇痛二陳加南代黑青䒑姜汁

肥 ○肥白人氣虛發寒熱而脇痛

參芪補氣○苓柴退熱○木青調氣

瘦 瘦人痛發寒熱怒者必有瘀血

赤紅青紫虎

○傳曰心ハ出 肝ハ納血

目治外

○大怒血不帰肝而或随気而上出口鼻或当本

経而為脇痛小柴加芎芍青

或歳木大過 歳金有餘而木気被欝皆令人脇痛

○傷寒々熱脇痛足少陽厥陰病也小柴胡

○双弦肝気有餘而脇々作痛 小柴加芎 膽芍青

○左脇痛ハ柴青芎膽 并

○右脇痛気実桂耳芎姜黄ハ莪

○脇痛效挙水研付 白芥子

腰痛 惠傳

弁證

腎虛脉大疼不已杜栢桂朮玄菟地（知栢紅寄 萆解）

挫閃瘀血脉濇凝而痛晝輕夜重桃紅乳沒朮（芎）尾蘊木

脉別

濕證天陰久座發脉緩（羌檳勝己迎）

痰滯脉滑与伏朮芎叙陳半苓蒼芷檳

風感腎經蒼麻羌獨

寒邪侵腎經桂姜附桂

禁

○丹溪云諸腰痛（不可用補氣之藥 不宜峻用寒涼藥）

針

○閃挫 腰曲不能轉 針中出血妙

思 ○人有痛面上忽見紅點死

○胃着体重腰冷飲食如故小便自利腰以下冷疼如帶五千錢宜流湿兼温散 泛 茯苓 附 通 参 車 朏 桂 羌 陳 蘇

○林曰灸腎俞命門穴治腰痛不可俛仰

治腰膝湿痺痛牛膝葉一斤米三合和〆煮粥入塩醬空腹食之

△脚氣

源 △傳曰經曰 諸湿腫滿皆属脾土 傷于湿者下先受之

湿欝成熱湿熱相搏其病作

外 內 ○脚氣有 從外感而得者 從內傷而致者

雖有内外之殊爲濕熱之患則一也

○各劑異功

案 二朮治濕知栢苓去熱芹芎地調血木檳行

用 羌羌独 利關節散風濕 己膝通 引藥下行去濕消腫

○經曰有道以來必有道以去

入心 ○左寸脉 作大作小 作有作無

雜脈入心

入腎 ○左尺脉絶者死入胃則脚腫氣喘呻吟目額黑

胃 氣衝胷而喘ス

ム防己飲 二朮 塩水炒 栢 酒炒 己生地檳芎犀角

通連耳節

石水煎食前温服

有熱加芩 熱甚及時熱加膏

便秘加桃仁 有痰加南姜汁竹瀝

氣滯加勝肥人加痰藥

掌瞳主湿熱

○杉木節橘葉不拘多少煎湯洗之

○忌耳草菘菜生冷油膩魚腥等物

△患日初得不覺自他病及始發先從脚起

○或緩弱疼痛○或行起忽倒或兩脛瞳

七情 故有 氣 字 衝心 茶 灸 轉筋

滿。或足膝枯細。或心中忪悸。或小
腹不仁。或偏身轉筋。或見食吐逆
或惡聞食氣。或胸滿氣急。或偏
体痿疼。其候不同皆由腎虛。婦人
血海虛衰七情遂成此病。量人盛衰
微加滋補不然氣血日衰年々過蒸熱
而作理之必然。脚氣衝心乃血虛而有
濕熱四物加炒梔用附子末津貼湧泉穴
發泄其熱。轉筋皆血熱四物加紅酒芩
。虛人脚氣腫者枳實大黃羌芥

壯 老

○壯老人宗膞散
○壯老人八味丸

○治腿脚疼足面赤腫歌曰

治散

湿氣周遊脚腿疼
香薷散煮忍冬藤
木香芎菜仍加入
功効如神喫得應

公林曰脚氣不專主一氣亦不專有一經
須尋三陰三陽病所在後察脉虚實爲治

四氣 斧

自汗走疰爲風勝 芎 桂
無汗攣急掣痛爲寒勝 附 桂

腫滿重着爲濕勝
煩渴熱顛爲暑勝
脉○分其表裏以施治
脉浮風緊寒緩細濕洪數熱
大凡麻者風也　痛者寒也
腫者濕也
禁○忌嗔々則心煩脚氣發○禁大語
大語則傷肺亦發動○露足不得當
風入水

辰
3
51

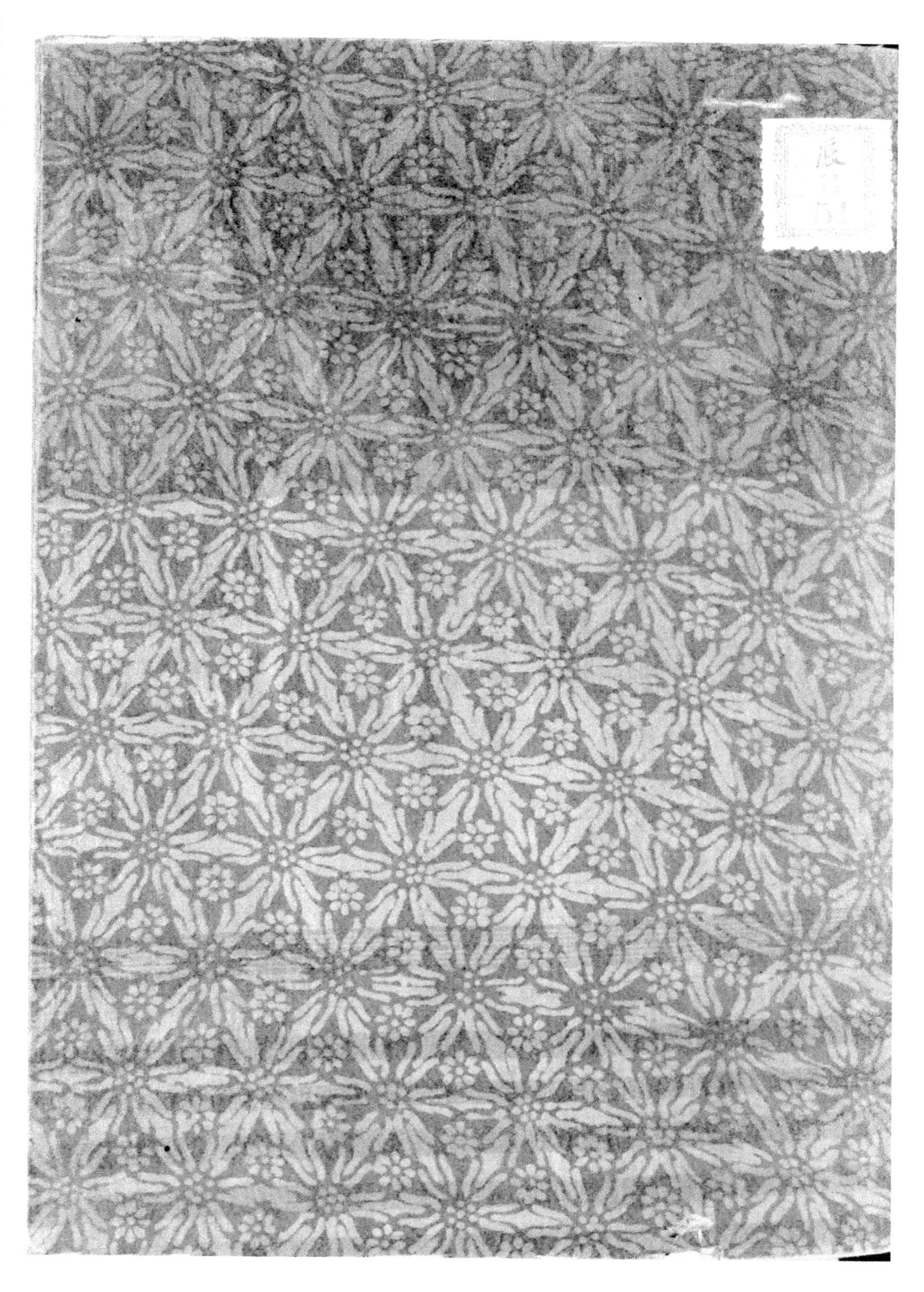

辨證配劑醫灯卷之二目録

瘀氣
健忘
脾胃
諸血
耳病
口唇
牙齒

怔忡驚悸
瘁
注夏　又瘦ノ病之
眼目
鼻病
咽喉　附舌
鬚髮

辨證配劑醫灯巻之二

日東　雖知苦斎　道三　校録

一痿 傳書

曰　經曰諸痿起於肺熱

弁　又曰治痿獨取陽明一經金燥居上主氣畏火

脾土性濕居中而主四肢畏木者也

浮　南則金清而東不實何脾傷之有

補北則火降而西方不虚何肺熱之有

法　經風論痿論篇目不同治法迥異

誤　局方以治風藥通治諸痿其謬哉

戒

天產作陽
厚味發熱
凡痿有不淡薄食味必不能安

證

東垣黄栢為君黄芪等補薬為佐

血
氣
虚
四物
四君
加
木栢
参栢木
栢木治痿要薬也

神魂恍惚起便頂人手足不随志氣昏恍癱瘓癬曳
半身不遂眩仆脇裏脚膝軟弱四肢無力顫掉拘攣

四別

不語又遍是也
風為外感主發散
痿為内傷主補養
不同治
麻黄葱蕪陳桂
芥参芪栢木

弁

湿為痹又為有餘
湿熱為痿又為不足

治法
○痿則一手軟治痿宜清燥滋陰 肴地萎膝 升门通篤卷一

預知
丹溪曰脚常覺熱後必患痿

有
濕熱 栢朮 卷一
痰飲 二陳 朮栢 卷一 升 瀝 姜汁
血虛 四物 栢朮 血 下 補陰丸
氣虛 四君 栢朮 卷一

疸

丹溪曰疸不必分五等同是濕熱如盦麴相似正經所
謂知其要者一言而終是也
○治濕不利小便非其治也 卷一 車 通 目 茯 瞿
○濕熱怫鬱內甚皆能令人發黃病

上 上濕發其汗

下 下濕利小便

惡 〇黃候寸口脉近掌無脉口冷鼻黑色不治

時氣 〇傷寒熱病陽明内實

當下而不得下

當汗而不得汗

當分利而不得分利

發黃

黃酒 〇酒疸目青面黑蕃黃黑皮膚四肢不仁其脉浮弱氣黑

微黃難治

脉弁 〇趺陽尺脉

浮為傷胃

緊為傷脾

治 〇食積者量虚実下之其餘但利小便小便清利則黃自退

〇酒疸小便不利心中热足下热是其證也

女労

○額黒汗出手足心熱薄暮則発膀胱急小便自利名曰女労疸腹如水状不治

△悪曰渇黄赤安卧者黄疸○小便自利大便黒血證無疑

○小便全不利黄名瘅病

疸證之黄 傷寒之血證黄 小便 不利 自利

○軽者小温中丸重大温中丸熱加連

連内陳朮苓甘枳殻青朴茵芩梔木通稿生姜

○湿多者茵蔯五苓加食積薬

○黄疸通身面目小便悉黄ナリ

○黄汗汗出黄染衣不渇

○穀疸食已頭眩心中怫鬱

△諸疸口淡怔忡耳鳴足軟微寒発熱小便白濁飲ニ為

虛證可用四君、八味，不可過用涼劑強通小便，恐腎水枯竭。

又，雖治不渴可治，渴而腹膨，全消者難。

厶脾胃穀氣蒸熱，卒身目黃，心滿氣喘，命在須臾。初不知死，後乃黃。其候但發熱心戰者，急黃也。速用梔子大

急黃

厶脉目陽脹疸，嘔噦振寒。

○酒疸脉浮先吐之，瓜蒂杏豉羊茵陳；沈弦先下之，三黃虎梔栢芩芩茯茵木梔芩栢皮。

○治要踈導濕熱於大小便之中。

消渴

厶傳曰：三陽結謂之消。

手足陽明主
津液若消則目黄口乾液不足也
血若熱則消穀善飢血中伏火血不足也

○脉
実ハ病久可治
弦小ハ病久不治

脉
数大者生沈小ハ者生
実而大ハ死細而浮短ハ死

三消

上消ハ肺舌上赤裂大渇引飲白虎加人参
中消ハ胃善食而瘦自汗糞硬尿数
兼三陽
三黄丸
下消ハ腎好渇引飲耳焦尿
知柏六味地黄丸

悪

○未便
能食者必発脳疽背癰
不能食者必傳中満鼓脹
皆不治

心肺ハ位近
腎肝位遠
宜制
小
大
其服過之与不及皆誅罰無過之地也

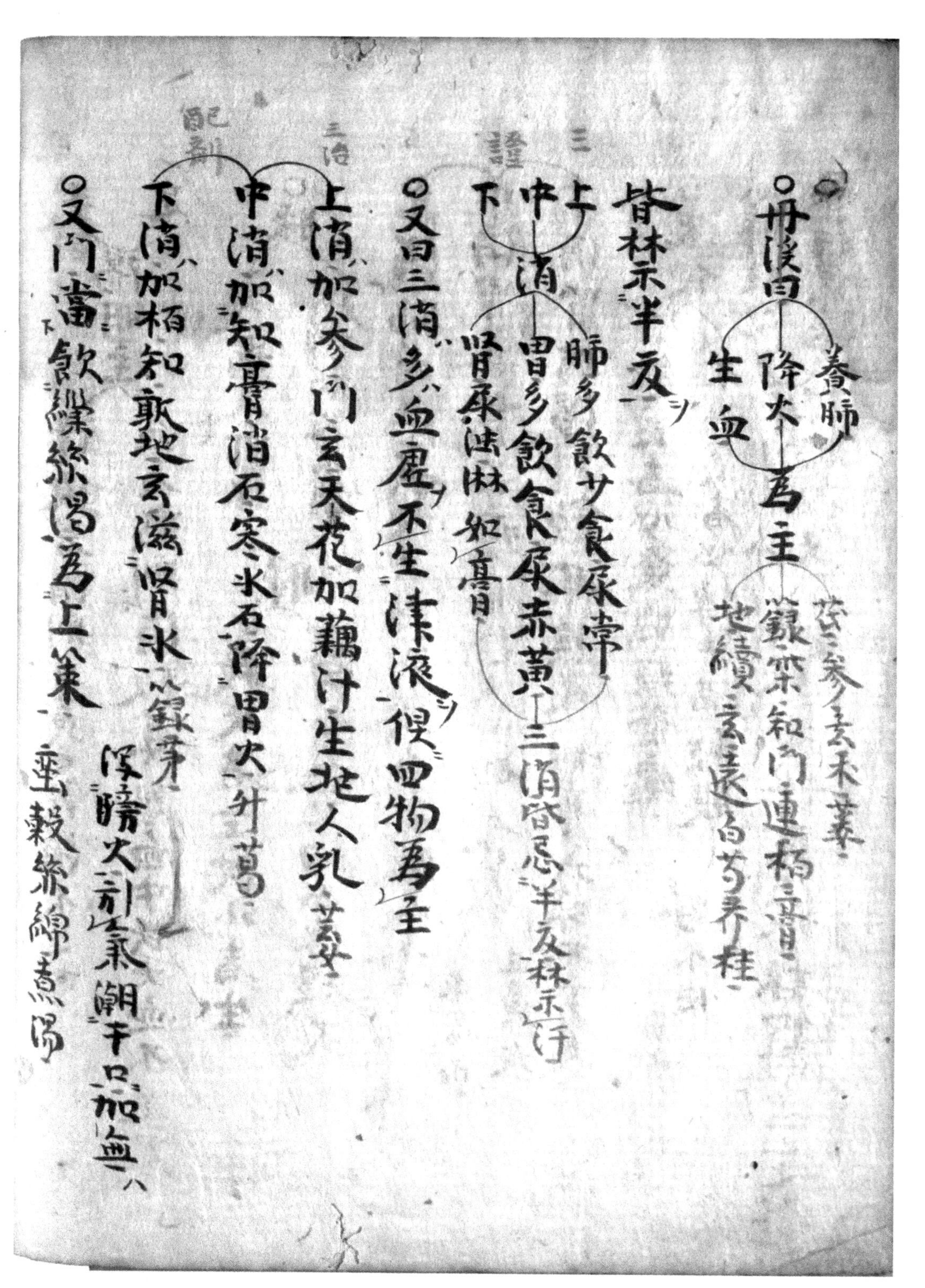

○丹溪曰養肺降火生血為主
蒼参玄禾萎
録栗知門連柏膏
地續玄遠白芍弄桂
皆禁半夏
三證
上 肺多飲少食尿常
中 胃多飲食尿赤黃
下 腎尿濁淋如膏
三消皆忌半夏麻禾汗
○又曰三消多血虛不生津液俱四物為主
三治
上消加参門玄天花加藕汁生地人乳 苦蔘
中消加知膏消石寒水石降胃火升葛
配劑
下消加柏知敢地玄滋腎水 錄茸
○又門當飲繰絲湯為上策
蚕繭絲綿煮湯
浮嘯大剤氣潮干口加血 八

目

厶東曰三消之疾皆帰于燥熱滛慾恣情飲食過度脈

餌丹石燥剤之所致也

補神腎水陰寒之虚也
瀉心火陽熱之実
除腸胃燥熱之甚
済身中津液之衰

養肺除火
生血為主

〇顛治

能食而渇白虎加人参湯
不能食而渇銭氏白朮散倍葛

療之上中已平不復伝

〇内傷病退後燥渇不解餘熱在肺参蘆 少許 生姜汁

下消矣若浮先朮苓炒末調服

調冷服 〇天花粉治消之聖薬也

〇消燥渇口乾用蘿蔔汁服

中 強

〇消燥脂肉虚陽與盛不交而泄為強中斃矣

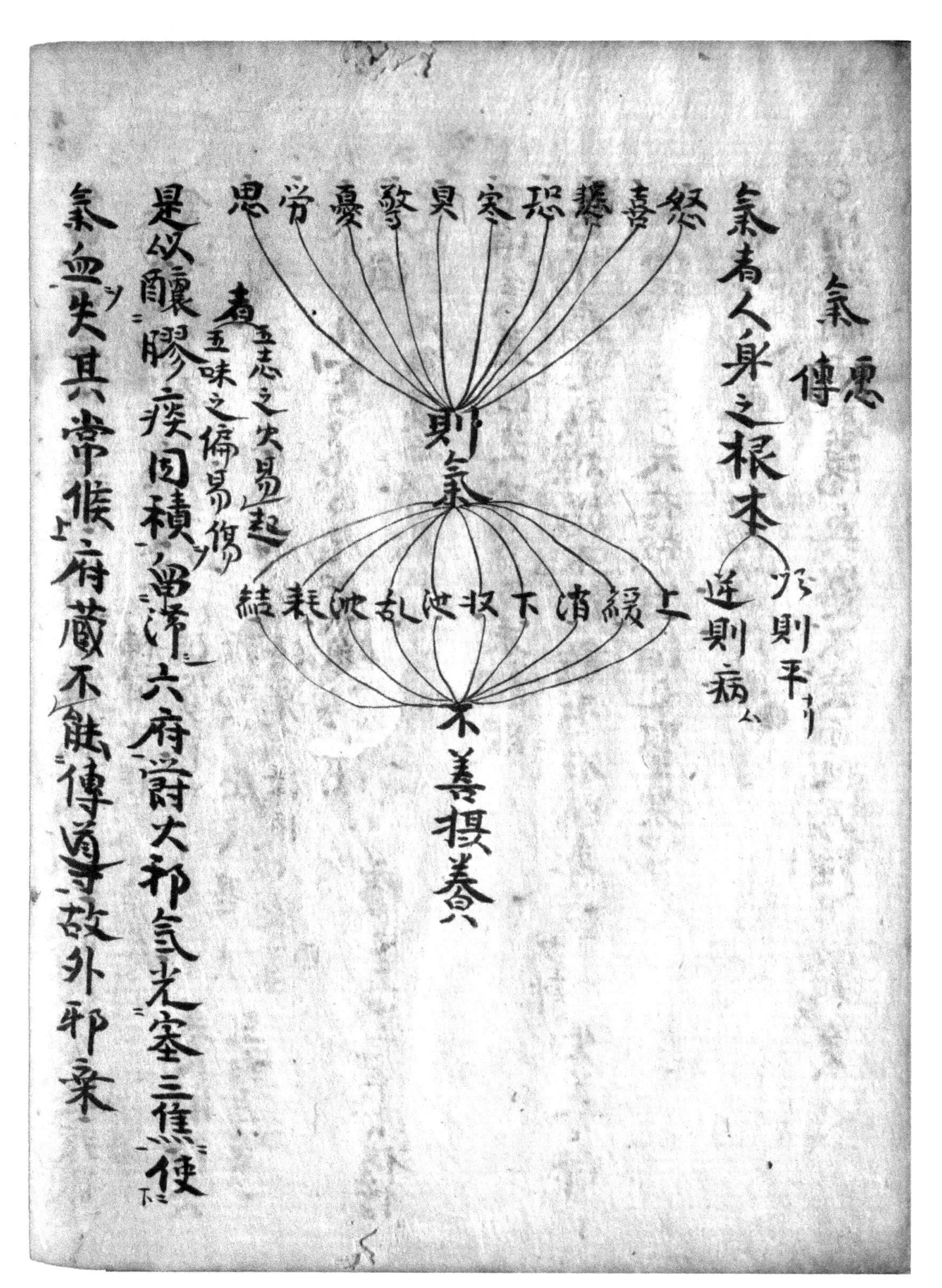
氣恵傳

氣者人身之根本 順則平 逆則病

怒 喜 悲 恐 寒 炅 驚 憂 労 思

則氣

上 緩 消 下 収 泄 乱 泄 耗 結

不善摂養

者 五志之失易起 五味之偏易傷

是以醸膠痰因積留滞六府蔚大邪氣充塞三焦使

氣血失其常候府藏不能傳道導故外邪乗

不升降

虚而入（清陽不升／濁陰不降）諸氣病朝輕暮作

○大抵（男子屬陽得氣易散／女人屬陰遇氣多鬱）是以（男子ノ氣病常少／女人氣病常多）

○凡此病又當論患者曰何吏而致則當曰其吏而解之

方進茶治

升

○脉（滑多血少氣／濇少血多氣）脉大血氣俱多

豁痰　濕中

○然欲調氣必豁痰蓋氣結則生痰痰盛則氣愈結和氣湯以半夏為主官桂佐之雖用豁痰又要濕中良法也

○七情相干痰涎凝結如絮如膜咳不出嚥不下或（中滿難食／上氣喘息）

曰氣滿曰氣滞曰氣閉曰氣中以至積聚痞癖癥瘕心腹痛

○鮮五蔵諸氣益少陰経血炒黒梔子末以生薑汁入湯

同煎飲之其効甚捷

○治積聚痃癖痰氣痞満之法

有

胷間為痞満刺痰

中焦為痞満脹急

両脇為攻撃疼痛

下焦為奔豚七疝

二陳加

黄連姜枳木

枳朴檳木

青柴芎膝

桃香梔茴枳核

○調氣用木香然味辛氣能上升如氣鬱而不達

固宜用之若陰火衝上用之反助火邪而病甚矣故

用黄柏知母而少用木香佐之

〇經曰一息不運則機緘窮

一毫不續則穹壤判ス

〇婦人胎前產後之氣疾作楚主血物加陳利行氣之药也

胎前芎陳皮朴縮木ソ

產後稜莪桂羌芷檳腹皮

〇林曰經曰喜怒傷氣

寒暑傷形

又曰暴怒傷陰

暴喜傷陽

外曰

內曰

〇子和曰五運迭侵於外ソ

七情交戰於中

聖

允

是以聖人畜氣如持至寶

庸人投物反傷太和

此篇所以論諸痛皆因於氣百病皆生於氣之本一也
因所謂命為九
○悲可以治怒○喜可以治悲○恐可以治喜○怒可以治思
○思可以治恐以虛彼志此之言奪之凡此五者必詭詐譎怪
無所至然後可以動人耳目易人視聽
○脈來 大ハ血氣俱多 小ハ血氣俱少 又 大而堅血氣俱實 細而緩血氣俱虛 沈滑氣兼痰飲
○凡見喜怒悲恐思之證皆以平 勞者傷於動動便屬陽 驚者駭於心心便屬火 二者
以平心火為主心火為主
今之醫者不達此旨遂有寒涼之謗

虛損　傳 患

以養失七情五志之火飛數男女声色之欲過淫是皆

虛損所由也

以虛損之疾寒熱因虛感也感寒則損陽々虛則陰

盛損自上而下

陽損 自上 而下

一損々肺皮聚毛落　芪參門玄廿言

二損々心血脈虛少不栄藏府婦人月閉　桂苓地寧心

三損々胃飲食不為肌膚　朮陳芍參參人參部吉

治宜辛甘淡過胃則不治

○感熱則損陰々虛則陽盛損自下而上

陰損

一損損腎骨痿不能起于床 甚之録地黄丸不遂

自下而上

二損損肝筋緩不能収持 宜地黄丸苦蕎粉如怒

三損損脾飲食不能消尅 方皆縮予思

治宜甘酸鹹過於脾則不治

浮表 心肺

沉裡 腎肝

損而 色敝 宜地参芪桂門

形痿 宜録栄元意勝

弦軟緩微弱細小皆為虚脈

脈 芤血虚

弛小遅脱氣

労脈

労極者七情傷五藏労極精氣変生諸證其脈多八

人受

天陽

地陰

為

氣

血

常

有餘

不足

或稟賦素弱又爲寒暑勞役所傷或色慾過度俱能戕賊真氣致肌体羸瘦腰膝無力便滑尿數目眩耳聾遺精自汗甚則虛火攻上面紅發喘甚屬及陰真散液枯漸成勞怯潮熱往來虛陽上攻咳血嗽乃虛火盛而真金衰水涸矣

切不可用熱補及動虛矣病不能起

經曰陰之所生本在五味非天賦自然中和之味乎

五官傷在五味非人爲之味乎

補氣四君俱自汗溺利之人去參加芪補血四物春倍芎夏倍芍秋倍地冬倍歸　補氣血八物加減如上法

〇氣血虛損寒暑八物加桂芪於加減和上法

〇經曰形精不足溫補之以氣味

〇虛勞不受補者不治

〇盡散發涼夜熱咳血陽支不禁者死

〇氣血虛甚發熱成勞用補天丸加治骨蒸藥

〇身瘦曰大銷鑠也肉脱甚者難治

△六方治法證雖不能驟效服久自然收功莫之王道之劑也

朮苓熟地白芍門梔 牟陳芎桔

右細剉水煎溫服隨証加減

加減

神恍加神遠。嗽加玄酸棗。痰多加蔞貝。遺精白
濁加蛎茯實粉。吐血加芽花藕節。自汗加苓炒浮麥。氣
虚加芪。瘦人不宜。嗽而浮加訶瞿天花粉。虚甚無
力加山茱破故杓杞。肥白加参
補氣用参。蒼黒人不宜。反助火邪。可用朮代之。肥
白人可多服。参必加陳佐之

灸穴 禁剤 老虚 證治

大病虚脱。本是陽虚。灸丹田。不可用附子
老人虚損。但是氷經少。即是病。進参朮為君。勝芍為
臣。陳参為佐。春加芎。夏加参門冬。秋加芍倍生姜。冬三
服汉小氷如旧乃正

○嗽久者不宜知母○虚損潮熱不宜柴胡虚骨黒痩人

不宜

不宜人参

證

林曰氣裏火旺来脾土四肢困熱無氣以動懶於言

語動作喘之表熱自汗心煩不安

養ト治法

當病之時宜安心靜坐以養其氣以甘寒瀉其火熱以

酸味收其散氣以甘温補其中氣

○經曰人知補之為利不知補之為害也

○時人性之悪寒喜温甘受酷烈毒而雖死不悔也

労瘵 傳患

氣躰虛弱労傷心腎而得之 心主血 腎主精 精竭血燥
則労生傳変不同骨肉相傳乃至滅門蔵中有虫嚙心
肺間雖以殺蟲治
陰虛生内熱陰氣者 静則神蔵 躁則消亡
養陰而延生者 心神恬静而勿躁擾 飲食適中而勿之傷
主乎陰虛痰并血痛漸瘦屬火陰火銷鑠
曉欲無節起居不時
情欲之火時動乎中 漸而至真水枯竭陰火上炎
飲食労倦之傷乎体
發蒸熱或寒熱進退似瘧非瘧

労極　〇發熱不休形体瘦甚真氣已脫雖倉扁復生不能救其万一

治　一殺其蟲以絶其根本　木香雄黄安息香辰砂鬼箭黄連稻青蒿胡連膽

法　一補其根以復其真元　地黄人参黄耆鹿茸杜仲木香元肉炙草桂枝白芍阿膠紫河

弁　〇男労脉浮大手足煩　春夏劇　秋冬瘥

弁察　〇男脉虚弱微盗汗出　白芍桂甘

弁察脱気　〇脉沈小遅名脱氣疾行則喘喝厥冷腹滿溏泄食不消

治剤　化　甘草人参桂枝生姜　妙芍

〇労病四物加升麻童便薑汁大補為上

蟲色弁　禁忌　〇三日方有取労蟲　蟲色紅可治　蟲色青不治

憤

○此病大忌用人参若曽服多亦難治此病屬史大腸多
燥然必節飲食勿令泄瀉治療之涼藥難用灸急調
脾胃俟田氣後用本病藥

灸

○宜灸患門四花穴膏肓三里
○患者受令堅心足志絶房室息思想戒忿怒節飲食
自培其根否則佛鵲無及灸若治之早易瘥若到肌肉
燒爍泄困着床難爲灸如汗加嗽者非藥可除
○人能平時愛護元氣保有精血瘵不可得而傳
○瘵虫食人骨髓血枯精竭不救者多

傳

眩暈

惪

經曰諸風掉眩皆屬肝木

眩暈有虚実（虚者血与氣也　実者痰涎風火也）

氣虚清氣不升或汗多亡陽而致宜升陽補氣

血虚亡血過多陽無所附而然宜益陰補血

痰涎鬱遏者宜開痰導鬱重則吐下

因風火所動者宜清上降火

丹溪曰雖云屬肝木屬痰者多蓋無痰不能作眩

又曰風亦必有痰

痰在上火在下火炎上而動其痰也二陳加芩朮羌

風 寒 暑 湿 肥 瘦 内治法

四氣眩暈見證

風則有汗 芸苈

寒則制痛 桂生姜

暑則熱悶 参门

湿則重滞 参羌

陳半并

肥白之人湿痰滞於上陰火起於下是以痰挾虚火上衝頭目正氣不能勝敵故忽然眼黒花甚而至卒倒無所知

黒痩之人軀体薄弱真水虧久相火上炎時時眩暈

大概

肥白眩清痰降火

為先兼補氣 陳参门苓芸芎归朮

黒痩眩滋陰降火

為要帯抑肝 遠志薄荷並載青芎柴

運氣眩

○風木大過ノ歲眩

去風芎䓖菊羌
化氣蘇陳橘參
伐肝青柴膽星
降火芩梔竹膏

血眩

○嘔血眩ハ死血迷心竅ニ而然リ

行血桂壯紅蘇
清心竹連芽芩

脉眩

左脉數ハ熱多ク歯ニ而有死血
右脉實ハ痰積虛大ハ是久病
人迎緩而浮大ハ屬風

法

○眩暈ハ中風之漸也ソ須ク降氣行血去痰除風

肥白ハ氣虛挾痰四君倍苓陳半

或加芎荊

痰盛挾氣虛二

清利頭目

陳加參朮苓入姜汁瘦人血虛ニ痰火兼盛ニハ陳合四物加芩

苛

姜汁

童便

氣血昇逆　本内外

挾
- 盛　芸荊芃天麻陳芎
- 熱　升芩連梔竹茹
- 寒　桂附生姜

氣血眩曰
- 七情鬱而生痰動火隨氣上厥
  - 七情攻壓而眩暈也
- 吐衄崩漏肝家不攝脾氣諸血失道妄行
  - 血虛之眩暈

尋致病之因其間汲升降鎮墜行乎不可妄施汗下

秘結　傳患

腎主五液故腎
- 實則津液足而大便潤
- 虛則津液渴而大便燥

丹溪曰
- 外　邪入裏則胃有燥糞
- 內　三焦伏熱則津液中乾

此大腸挾熱然也

〇大法治燥潤之杏桃虎麻仁郁李之類凡燥加羌艽芸大以燥蜜取其潤燥仍多服補血生津之劑助其真陰庶無弁結之患切勿以巴牽峻劑攻下

〇大便結燥者慎不可發汗令之重亡津液閉結而死在西北以開結爲主宜朴芳杏麻桂麻枳 東南以潤燥爲要升地杏虎桃麻紅韮牡蜜

〇血燥而大便不行加煨皂角仁大黄秦艽利之

虚人藏冷而血脉枯 腸寒而氣道塞 并大腸挾冷然也杏桂羌 生姜枳

〇又云有虚人氣大寒津液不足氣結切不可一例用硝黄巴牽利業

〇久病腹中有實熱大便不通宜潤腸丸

氣虚

○肺受風邪傳入腸中為風結 麻仁丸

○或 年老氣弱津液不足 / 産後内亡津液 而結為氣虚 地黄丸

○大便秘小便數則為脾約蓋脾血耗散肺金受火無所

攝脾津液故竭宜養血潤燥 芎地桂芍桃仁紅花

能 / 不能 飲食 小便 赤為実 / 清為虚 秘 朴枳実大黄檳榔 / 芎朮桂陳生姜

○胃中停滞寒冷之物大便不通心腹作痛備急圓大便

秘脈兼氣不利四物加枳殼紅花

○蜜導法以蜜煉如飴捻成指大長寸 以紙為 胃術

細皂末之中 或以烏梅湯浸細之 / 或生姜炙津潤細之

○淋日如 少陰 / 太陰 不得大便 辛潤之 / 苦堅之

痔漏 傳患

經曰因而飽食筋脉横解腸澼為痔

○丹溪曰藏府本虛外傷風湿内蘊热毒醉飽交接多慾自戕以故氣血下墜結聚肛门宿滞不散衝突為痔

○脾胃傷虛故肺大腸氣亦之肝木得以乘虛為腸風金失所養木寡于畏之所為耳

浮大　和血　提之　閏之

芩連梔槐苦寒浮大门

荊芎秦辛湿和血桂

風邪在下芃芸外提之荣

燥热佛鬱虎叙麻閏之秦

酒氣

五痔ノ數名

肛邊露肉珠累乳特ニ流膿曰牡痔

肛邊生瘡腫痛ソ突出一枚數日膿流ソ即散曰牝痔

腸口發瘡且痛且痒ソ血瀝ソ曰脉痔

腸内結核寒熱往来毎ニ圊脱肛曰腸痔

毎ニ大便清血隨下而不止曰血痔

又有

酒痔毎飲酒發ス瘡腫血流

氣痔遇憂恐鬱怒竟ニ腫痛大便難艱強力ハ肛出

大抵以順氣解毒調血爲先慎ミ節ニ慾

治剤

○大法

- 治血為主 地芍牡紅赤
- 條芩涼大腸升芍
- 參生地連槐角涼血生血茅
- 當歸和血芍
- 芎升榖寬腸陳枳

○腸風挾在胃与大腸也

熱　冷

挾

- 熱下血清鮮腹中痛清腸湯茶芍牡
- 冷下血濁黯腹略痛濁為蔵毒湯桂䕸紅

藥後食

○服治下藥即以美膳壓之不犯胃氣

肛間別穴

○諸痔出血肛門間別有小竅數下如血線不与便物共道

痔久不愈必至穿穴口不合漏無已時

○漏瘡主參芪歸朮爲大劑補氣血

○外、陽附子末餅多灸之以補氣血膏藥貼之

○洗藥 五倍朴硝桑寄蓮蓬煎先熏後洗

胡麻子煎湯洗之消腫疼

○貼藥 木鱉 五倍爲末付之

○塞藥 炉甘石 煅尿淬 牡蠣 煅 共末塞之

又馬藺根研細付上片時看肉平去藥稍遲恐肉反出

○痔核已破謂之痔漏大便澁痛所濕熱風燥血氣合爲病

故

大腸頭成塊濕也

大痛風也

大便燥結兼火邪

原　目　洗擦

○林曰腸風ノ血自腸中来

蟲痔血肛門邊傍別ニ一小竅射如血線府由血浸淫於其

間化為蟲蠹蝕腸只滴血淋瀝又不能約收之汉蓋莢

艾葉苦楝根輩為之化生

脱肛

○惠曰斯證云脱肛ハ屬 氣虛 參ノ芪ニ升麻 ／ 血虛 四物桂芎芍梔子 ／ 熱 梔芍黃芩

○肺与大腸為表裏故肺藏 蘊熱則肛門閉結 ／ 虛寒則肛門脫出

又 婦人產育用力 ／ 小兒瀉利日久 皆致此病

○外ハ五倍子末ノ水煎汁浸洗更入白礬蛇床佳後赤石脂

灸

未摻蕉葉頻托入

○大人灸長強穴在脊尾窮骨尽処七壮又灸脐中隨年壮小兒灸百會穴三壮又灸長強

○木賊燒存性未摻肛門上按入即愈

淋閉

△傳曰經曰清陽出上竅濁陰出下竅故清陽不升則濁陰不降而成淋閉之患矣

閉上

○先哲以滴水之器辟之上竅閉則下竅不出故（東垣 丹溪）是皆開上竅之法也

一灸百會
三壯提氣

○脉盛大而実者生
虚細而澁者死

因

○病由（膏粱之味　湿熱之物　煖酒炙肉）鬱遏成疾害脾清濁相混肺金無水道不清漸成淋

因

○或（用心太過　房勞無節）心腎不交水火無制清濁痞塞ス

弁

△東垣（分在氣在血治之　以渴不渴弁之）

治

○渴而尿澁者熱在上焦氣分肺主之宜淡滲通ス瞿車參苓

○不渴而尿澁者熱在下焦血分腎膀胱主之宜氣味俱陰之知栢類加桂苐

五淋

△丹溪曰五淋皆屬熱（解熱利尿梔子炒末白湯下　不可汗汗之尿血）

石淋者淋而出砂石の膏淋者出狀似膏の氣淋者腎虛膀胱熱ソ

氣脹所為尿澁飲歴ス労淋ハ労傷腎氣生熱成淋尿澁シ
莖内數起不ム引小腹痛労倦即發ス血淋ハ熱淋甚キ者
尿血也

○腎虚極而淋ハ宜補腎精利小便不可用利水薬ミシ

○有死血作淋用牛膝膏一用 能傷胃量

○痰抵隔中焦淋澁二陳湯服探吐提氣

○淋澁血因火燥下焦無血不得降補陰降火四物加知栢シ 膏門

○小便
黄ハ黄栢門知
澁數ハ沢瀉通苓茯
黄而澁ハ熱在下焦梔沢芍知

○老人氣虚ノ淋ニハ主參朮加通梔之類

○氣虚不運補中益氣湯加枳椰

升降

便
清氣升ツ
濁氣降

○莖ニ痛是肝經ノ氣滯ニ兼熱用甘梢益欲緩其急耳

察脉

○小便
不通爲癃
不約爲遺
滴瀝澀痛謂淋
急滿不通謂閉

○小腸有
氣則小便脹 車茯只茯
血則小便澁 四物芽生地灯
熱則小便痛 通ニ升

血淋　尿血

痛者ハ　血淋　不痛　尿血

為

尤忌補氣

下焦無血小便澁数而黄四物加知栢滕耳梢

胞轉證脐下急痛小便不通

曰

忍小便急疾走

飲食忍尿

飲食走馬忍尿

忍尿入房

水氣上逆氣血於胞故尿戻而不得舒張也　胞落即死

便瀉　傳　惠

因

〇便瀉因脾胃湿熱下流滲入膀胱

弁

〇瀉主湿熱有虚痰

痰 連知栢 陳朮苓

虚 参芪六録

白

赤瀉心小腸主病属火血虚熱甚四物栢芩連

白法肺大腸主病属金気虚微熱四君子門栢梔

治法

〇丹渓曰瀉是湿痰流注宜燥中宮之湿陳朮苓

燥湿

降火

兼升挙之法二陳加升柴（朮）

赤法加芎

弁

肥白人必多痰或湿熱

降火

燥湿

二朮炒栢

又有升提之法

治

瘦人血虚法四物加酒知酒炒栢

思相無窮所願不遂得之　降火　梔天子柏　安心神

好色房勞致虛得之　滋水藏　地黃丸　後玄陰

凡瀉皆濕熱世人誤用熱藥宜補陰藥亦不宜純涼

故知梔柏炒之佐以生姜之類　炒芍酒知桂

三瀉小腹痛甚宜作寒治酒煑當歸丸妙

瀉濕赤屬血白屬氣二劑第同并治

兩尺洪數瀉失精

婦人尺脉濇而弱或洪數而促便瀉白帶

胃弱者用參加升柴升胃中之清氣

有熱者黛栢滑々數
肝脉弦　用黛浮肝

遺精

綝曰雖遺慾澄心精氣内守陰平陽秘精元蜜固矣
或縱慾勞心則心腎不交關鍵不固
更有少壯人情動於中意慾迷於外慾心熾而不遂者有
遺精便滑之患也
治法當清心涼氷㐌切勿補之
精滑主湿熱
蚖蛤燥湿
栢知降火
澄心特座
炒栢酒知

治

證法

患曰用心及疾心不攝腎以致失精ハ八物加減

思慾不遂遺精色失位輸而出者其病在心宜安神帶

補

過慾滑泄不禁者主湿熱 知栢降火 茅門 蛤蚧燥湿 蛇之録

遺精便渇不可槩作労治曰及酒多房乃湿熱所

致也只八四物加栢酒知梔蛤蚧参年通而累効アリ

夢遺主熱

精滑主湿熱 熱則流通故也

傳曰治遺精淵熱以氷箋篭々陰茎勿便搭肉而

脈業

原

汗

公傳曰心火熱肾主濕相摶爲汗明矣乃揔曰奔

經曰飲食飽甚
致勞而奪精
持重遠行
疾走恐懼
搖体勞苦
汗出方
胃 心 腎 肝 脾

自汗無時而出動則爲甚陽虚胃氣之所司補陽調衛

參芪桑茯苓年遠浮麦小麦水ニウルヽ蝸赤白芍

盜汗寐中身知冷覺來方知陰虛榮血之所主補陰降火

芍桂芐地紅芷解知門參錄柏

脉弁

○脉 大而虚 / 浮而軟 者汗 在 寸自汗 / 尺盗汗

○凡 微而濇 / 軟而虚 / 虚而弱 者皆主自汗也

弁治

○丹渓之 自汗属氣虚属湿与熱陳穭小麦麸 / 盗汗属血弱与陰虚椒目炒米[illegible]

剤製

○内傷虚損之自汗升栄二味蜜水製神以蔘芪升発勇悍之性而又欲引参芪等至肌表故不可缺

法

心恵曰雜病盗汗陽虚亦是心虚所致宜斂心氣令腎水水火升降汗自止

○陰陽虛
陽虛漢發熱汗出
陰虛漢發厥汗出
人身負陰抱陽
平則寧
偏則病

○自汗宜參芪少佐桂枝

○汗證禁半夏

○牡蠣麩皮麻黃根藁本糯米防風芷 為末撲之

汗出髮潤
汗出如油
汗凝如珠
不治君子見幾弁之不可不早

心汗
○別處無汗心孔一片有汗多慮汗亦多名曰心汗宜養心血（地骨 茯苓 桂）用青桑第二葉焙乾為末空心米飲調服最止心汗

○身無汗但頭汗出陽氣上脫世須早醫治矣
茯桂牙蠣 參芍。甘麥茯芷 參之

陰

○陰汗湿痒ニ炉甘石一分 真蛤粉半分 右細末乾撲ス患処ニ

○治脚汗ニ陳藏象蹄煆 礬枯 陀僧 黄丹各等分

右為末乾摻ス脚ノ指縫ニ帰乾

厥 裏 傳

厥者手足ノ逆冷也

二厥

陰 陽 氣衰於下則為 熱 寒 厥ス

并治

熱 寒 厥補 陰 陽

○壮水之主以鎮陽光 生地栢芍茅知母

益火之源以消陰翳 附姜朮桂吳脂

入藏 入府

○卒厥不知人

脣口青身冷為入藏厥死

身湿和シ汗自出為入府自愈

脉弁　脉　弁陰　陽　熱　寒　痰　蚘

〇
氣　血
虛ノ厥脉
細　參芪附
大而芤　桂香生姜

熱　外感　痰
脉
數　浮實　弦

身涼ソ不渴脉遲細陰
煩渴譫言身熱脉數陽
厥也
桂參芪附
知門地芍芽

冊後弁
熱厥ハ濕熱蔚于脾土之中三承氣
寒厥ハ氣血不足ソ手足逆冷之灸関元理中

公林曰寒痰迷悶四肢逆冷姜附陽合痰厥陳桂生姜

曰胃中冷即吐蚘理中陽加椒梅各蛔厥

○氣厥ハ与中風相似

風中ハ身温

氣中ハ身冷導痰湯

○血厥婦人多有之忽如死不動目閉口噤不言或微知人

悪聲眩冒移時方寤亦中泄汗乏陽上而不下氣塞

而不行芎椒桂苓朮芍

○酒厥頭旋倒不知人生姜汁温灌之醒

痓

傳悪林

○風散氣故多汗不悪寒脉遲軟（細弦）四体不収或搐搦僵目

合面曰柔痓隂

強

○寒泣血故無汗而惡寒發熱 弦長 緊急 胸滿口噤卧不著

席脚攣咬齒眼開目呈痓陽 弦

本標

○痓之爲病 濕爲本 風爲標 主強直 靜濕土無汗惡濕 搐風木有汗惡風

表裏

○無外有諸虚之候表虚不任風寒亦能成痓所因也

邪

血ノ節無所榮故邪襲之

所以或傷寒汗下過多、金瘡去血、產後失血、跌撲損傷、癰疽潰後致之者，可見是乃虛爲本，邪爲標耳。

虛本　邪標

其脉皆沉伏弦緊。

三陽外　三陰内

但陽緩陰急，久久拘攣；陰緩陽急，反張強直。二證各異，不可不別。

去血過多，風邪乘虛，四物加芎、羌、荊。

サ加附　黒豆

外證似傷寒，但項背反張，口噤如癎爲異耳。

屬太陽經，中風、感寒濕，通用小續命湯。

○痓痫之弁

痫病身軟急時醒

痓證強直反張不時醒

癲痫患

傳

痫時作時止

顛狂失心妄作経久不愈

非一数

巨陽之厥頭重足不能行發爲瞤仆則痫数也

陽明之厥顛疾走呼腹満不卧面赤熱妄見妄語甚

則棄衣而走登高而歌罵詈不避親踈得之於陽

氣太盛胃大腸実熱燥火以討結于中而爲之耳

狂治　癇治　曰

○大抵狂為痰火実盛，癲為心血不足，求望高遠不得志者有之。

○治去狂宜乎下痰（寛痰），退癲宜安神養血，兼降痰火。陳平　連栄　（安神清竹）

○尋火痰分多少治之：涼栄清心，連辰；有痰用吐，陳平帯。

吐後安神丸及乎時業黛栄子之数。青

○狂言妄作經年不愈，心經蓄熱，清心除熱；痰迷心竅，散去痰寧心。

○五志之火因七情而起，鬱而成痰。

〇冊漢云以人事制之非葉石所能療怒傷肝爲狂爲
痛以 憂勝之 恐解之
喜傷心爲顛爲痛以 恐勝之 怒解之
憂傷肺爲痛爲顛以 喜勝之 怒解之
思傷脾爲間爲顛爲狂以 怒勝之 喜解之
恐傷腎爲顛以 思勝之 憂解之

悲傷心包為顛，以恐勝之，怒解之。

驚傷膽為顛，以憂勝之，恐解之。

又曰：多因痰結於心胸間，宜開痰鎮心神。亦有中邪者，以治邪之法治之。

凡狂病宜大吐下則愈。

血氣兩虛，痰聚中焦，妨得升降，諸官失職，視聽言動皆有虛。

妄以邪治之，其人必死。

痰竟表　虛　血邪

陽病

○先身熱裂衣發焉呼喚而後發陽病脈浮陽病病在六府外

在肌易治

陰病

○先身冷不裂衣發焉呼喚而病發脈沈陰病病在五藏內

在髓難治

大法

○凡此病肝經有熱吐後浮青丸

○大率行痎為主用南半夏連

○林云 晝發灸申脉在外踝下

夜發灸照海在內踝下

後服柴

秘灸

○本草文葉下曰治顛癇用文於陰囊下穀道正門當中

間隨年歲灸之

○神脱而目瞪如愚痴者不治

諸蟲

林曰人之三青飲食有疫倘飲食不節或傷飢或又飽喜啖腥膾多食生冷酷嗜曲蘖炙食肥甘藏虛弱致生蟲積

古書云 飲白酒食牛肉生蟲
茶葉炙羊肉食生寸白蟲
團魚子莧菜同食生鱉魚蟲

○小兒藏府弱食肥甘動腹痛哭叫嘔吐沫涎面青飲食不進不生肌膚或寒或熱或沈沈默默其蟲不早治

相生不已長一尺則能害人若要心殺人

公傳曰飲食不節朝揆暮傷自傷成積久成脉熱濕

熱相生諸蟲從五行之氣而化生

諸論上半月下半月月字旁作月字蓋蟲無半月之義

頭之理先以蜜糖炒肉吃引蟲頭向上然後用殺蟲藥

○脏内熱腸胃虚蟲行求食

上唇瘡蟲食藏

下唇瘡猴蟲食肛

疝氣

傳曰丹溪獨斷爲濕熱

治法　痛経　證　日

支
- 熱鬱于中　栢皮
- 寒束于外　桂陳

○宜駆逐本經之湿熱道（消）下焦之瘀血而以寒曰熱用之

法処治上

○疝痛或在
- 睾丸
- 五枢穴边

皆足厥陰之經也

或
- 無形
- 無声
- 有形如瓜
- 有声如蛙

○大抵始於湿熱在經鬱而至久○寒気来外来不得散所

以作痛只作寒論恐為未備

○湿熱曰寒蔚而作　梔子以降湿熱栥
烏頭以散寒蔚　桂生姜
不痛属虚加桂姜汁丸脈後曰無方随秋證加減無不
驗
○又須分湿熱多少湿多則腫癩病是也
○又有挾虚而發者脈沈緊而豁大無力者是也其
痛亦輕参木為君疎導佐之
○丹和云俗謬曰膀胱氣　小腸氣　腎氣　余必曰内湿熱与外虚寒
豈知皆帰于肝經

○足疝痛用海石香附為末姜汁調下

諸疝宜灸大敦穴在足大拇甲後一韭葉聚毛間灸三

壯用針氣胞即消効アリ

二陳加枳実橘核梔糖毬ヲ即査之煎入姜汁辣ソ飲之

霊枢注曰　太陽受寒血聚為疝　此言太陰受寒得之

太陰受寒氣聚為疝

肝経也　可以湿薬通之　不可以湿薬補之　若補之者是欲病去而殘ヲ挽

血也　査柴牡朮芷茶芽桂苓枳朴皂青陳棟核

梔通烏頭蝸茴枳浸生姜汁煎

怔忡驚悸

厶恵曰人之所主者心心之所養者血心血一虚神氣不守

卅驚悸之所發業謁也

○驚者恐怖之謂心虛而暫時疾鬱交喪志爲之悸使人

有惕々之状豁疾定驚之劑 陳神辰丰

○悸者怔忡之謂心虛而停水虛氣流動心不自安使人

有怏々之状逐水消飲之劑 參神丙木

○虛不遍調養心血和平氣而已 古地芍膠竜止棗茯皮乳门遠矣參冬參重遠沉陳桂年

林曰尊補榮血若當君有輔無不愈者也

心損 益榮

○難經曰損其心者益其榮宜補榮血爲主

有慮使動血虛 芍地桂芎

升流

時作時止疾因火動 陳連參栢生姜

時覺心跳者亦是血少 芍芎桂甘

瘦

肥

○瘦肥人多ハ是　血少ナ者ハ地紅牡膠　痰飲ハ二陳朮

○大法四物湯安神丸ヲ靜世痰ニハ用去痰茶

驚血

○驚悸ノ丸散ヨリ血溢ハ以井花水ニ噀面ニ立止

目治

○曰怒氣傷肝　驚氣入膽　母能令子虛心血不足　桂地膠歸

○或遇事繁冗思想心無ニ窮則心神不安而怔悸ヲ證作矣

心虛

驚

神地參ノ覺ヒ不之早

○思曰且思慮之多ノ耗損心血心虛則膽怯驚觸事恐驚

驚

夜夢不祥氣鬱ノ生痰延之系攣ヲ變ノ生諸證

健忘

公患曰憂思乏度損心胞乏思傷脾令人健忘須兼理心脾神形意定其病自除

精神知少有疾者健忘

遠志菖蒲録敷参桂辛亀辰益智玄
茯苓陳皮甘草當歸

○林曰補心虚治健忘子日取東引桃枝寺枕之令耳目聰明

一方治心孔昏塞多忘喜誤丙午日取鱉甲着衣帶上

附臂項痛

痺

傳云寒湿勝痛着痺

不仁者或周身四肢縄扎縛初解之状不知痛痒方名

為麻痺

脉浮而濡属気虚前後麻在上下躰

○脉浮而緩湿為麻痺　羌活蒼朮人参陳皮白芷

緊而浮寒為痛痺　生姜芎附桂枳五三麻

濇而芤死血為木　桂芍地膠桑皮蘇芷

○十指麻木胃濕痰死血二陳加二术桃紅廿加附子行經

今日 ○丹溪曰麻是氣虛木是濕痰死血

○治法先行後補

○兩眼麻木沉重蒼青陳升柴歸紅玄戾煎服

○閉目則麻木甚開目則退非風邪及氣不行也

公惠曰痒者風寒濕三氣合而為痒血氣未滯手足

拘攣身体沉重疼木語澁以筋緩行步艱辛是也或

痛 亦有五種

○又有血痺痛者寒氣多不仁痛者痛久入保榮衛歟

經絡臊故也宜行氣勝濕之劑

○頭顛腫与不種忌肉食

痰之陳加酒芩羌朮 陳生羌

因濕二朮佐以升麻及氣菜羌陳

風小續命之桂朮芎人參

血虛芎芥佐黃紅 桂枝

○肥人多濕与痰流經絡 脈必朮南 滑芩 陳羌

瘦血虛与熱 脉必歟芥勝桃紅柏 牡丹

下部有濕腫痛知柏膽 芷勝羌通

痛 腫 外因 臂 項 戒 血 痺證脉

○患痺腫痛　痛 腫 屬 大 濕

兼受風寒而發動於經絡之中濕熱流注於肢節之

除而無已

○臂痛是上焦濕横行經絡

○項強動則微痛脉弦數而實熱客于太陽注之陳加

酒芩羌活紅

○禁魚腥蕎麥熱麺煎炒物

○林曰血痺者尊栄人骨弱肌膚盛重因疲労汗出

卧不時動揺加被微風遂得之寸関微尺小緊身体不仁

治

加風痒狀芪芍桂　生姜　大棗

脾胃

胃盛下　虛下

公忠曰胃中元氣盛則能食而不傷過時而不飢脾胃俱盛能食而肥虛不能食而瘦或少食而肥雖肥四肢不舉

伏火

○能食而瘦胃伏火邪於氣分

食當　役肢

○又飲食不節則胃病　神中升陽

形体勞役則脾病　潤燥降火

胃病則氣短精神少而生熱面黃脉緩

形勞則怠惰嗜卧四肢不收泄瀉脉遲

○傷食必惡食氣口脉緊盛胷痞頭痛發熱但身不痛二陳加木查芎如聞食氣即嘔二陳加縮青

○噯氣胃中有火有痰南半梔莎膏或丸湯服之

○脾胃之病大抵是肝木傷于脾土也宜以蒼芎爲主

●經曰平脾脉来和柔

病脾脉實而盈數来鋭堅

▲四君子湯治脾胃不調不進食飲参朮苓甘右剉

煎加縮陳各六君子

煎加陳皮各異功散

有氣去參減朮

加青麯傷食

補中食後之戒

飽悶加查炒。實傷冷物木香。肚痛溏泄去參加麯姜。有

痰火吞酸加連姜汁。林曰早飯後忌多言語大勞役

平胃散治脾胃不和又名對金飲子 朮五 朴姜 陳

各三 草炙三 右剉姜棗水煎加藿半名不換金正氣散

脾濕浮加參通倍朮

氣不舒快中脘痞加莎縮

欲進食加麯芽樹呉茱 炒

吐清水蒼朮 陳壁土炒 朮參滑炒 白朮陳煎服

林曰人受氣於水穀以養神水穀尽而神去

穀入於經其血乃成 胃脉道乃行 安穀則昌絕穀則亡

慈　慎

米去則營散　穀消則衛亡　營散衛亡神无所依故血衛不可養温血

温衛和得尽天年

●洩滲閉塞不通則脈之得利勿弁脈

注夏

●恵曰春末夏初頭疼脚痿食少体倦熱脉大俗謂

注夏属陰虚元氣不足也宜補中益氣湯去升柴

加炒栢芍茉秋痰加半夏陳皮

諸血

血氣出納

○傳曰、心ハ出シ肝ハ納ム血、肺ハ出シ腎ハ納ム氣

○口鼻出血ハ陽盛陰虛

有升無降

脉

○其脉諸淡濡弱ハ亡血、脉芤ハ失血、濇ハ少血

弁

○吐血唾血脉、滑小弱ハ生、実大ハ死

治法

○衂ハ凉血行血為主、犀角地黄湯ニ入鬱金酒芩梔子

治

○蘿蔔上半截杵汁服ヌ又入鼻

治

○韭汁治諸逆血服之最効

治

○梔子能清胃脘血ヲ

○先吐血後痰嗽傷重大動四物加痰火茱栢梔　陳参
先痰嗽後血多痰積熱宜降痰火急陳自竹瀝　生姜

○暴吐紫血一塊無妨四物加清熱茱芽牡鞕

○吐血胸中氣塞上吐便紫血者桃仁兼氣紅牡鞕

○咳血嗽出痰內有血痰盛熱多血虛先宜清痰降　陳参梔白
大後八物加減調理

○咳血成勞黃芪湯

○唾血鮮血隨唾而出四物加鹽酒炒梔栢　少加桂枝

○舌上出血槐花炒末乾摻

○嘔吐血後胃来四物加膏知

治

○衄血咳血痰帶紅紫皆從肺來四物加酒芩茅花

○補陰降火之劑四物加知栢之類也

○咳血痰盛恐熱多是血虛用黛蔞訶貝蛤梔末姜汁蜜丸噙化嗽盛加杏

ム愚曰陰血雖成易虧妄行上則吐衄

○裏隔外則虛勞忽忘之滲於下則便紅○陰虛陽搏則為崩中○湿熱蒸瘀則為痢○熱極腐化則為膿血畜之在上則人喜忘下則人喜狂

○吐血衄血脈沈紅留連或微者易治浮大洪數者難治

○凡血證上行皆逆也若變而下行為惡痢順也

宜潤　不宜澀

小兒衄血ニハ用灯心或茅針花ヲ塞ク
吐血大載血上ニ錯経妄行ス四物ニ加炒梔童便姜汁
尿血不痛心移熱於小腸後精竅ス四物ニ加連梔條芩ヲ
近遠　血自大腸小腸　四物加枳実槐芩ヲ　通草炒連

血出於口鼻或加　犀芩連清ス　茅花藕節棕灰炒蒲止ス　韭汁牡丹清ス
血出於大便或加　槐花側柏葉條芩清ス　地榆荆芥白芷茅根止ス
尿血澁痛ハ從膀胱四物ニ加瞿滑勝梔

小　熱　虚　日　用

血出於小便或加瞿門梔清之
　　　　　　滑通大小薊行之

皆視新久緩急施治或行之或清之或止之

傳云下血有熱四物加梔升芥膠
　　　　　虚加姜升

凡血藥不可單行單止
　　　　　純用寒涼藥必加辛温升藥

若加涼藥宜酒煮酒炒寒因熱用之法也

治浮血干柿餅燒存性米飲下二匁立止

患曰下血鮮紅爲熱或因蘊熱毒入于腸胃

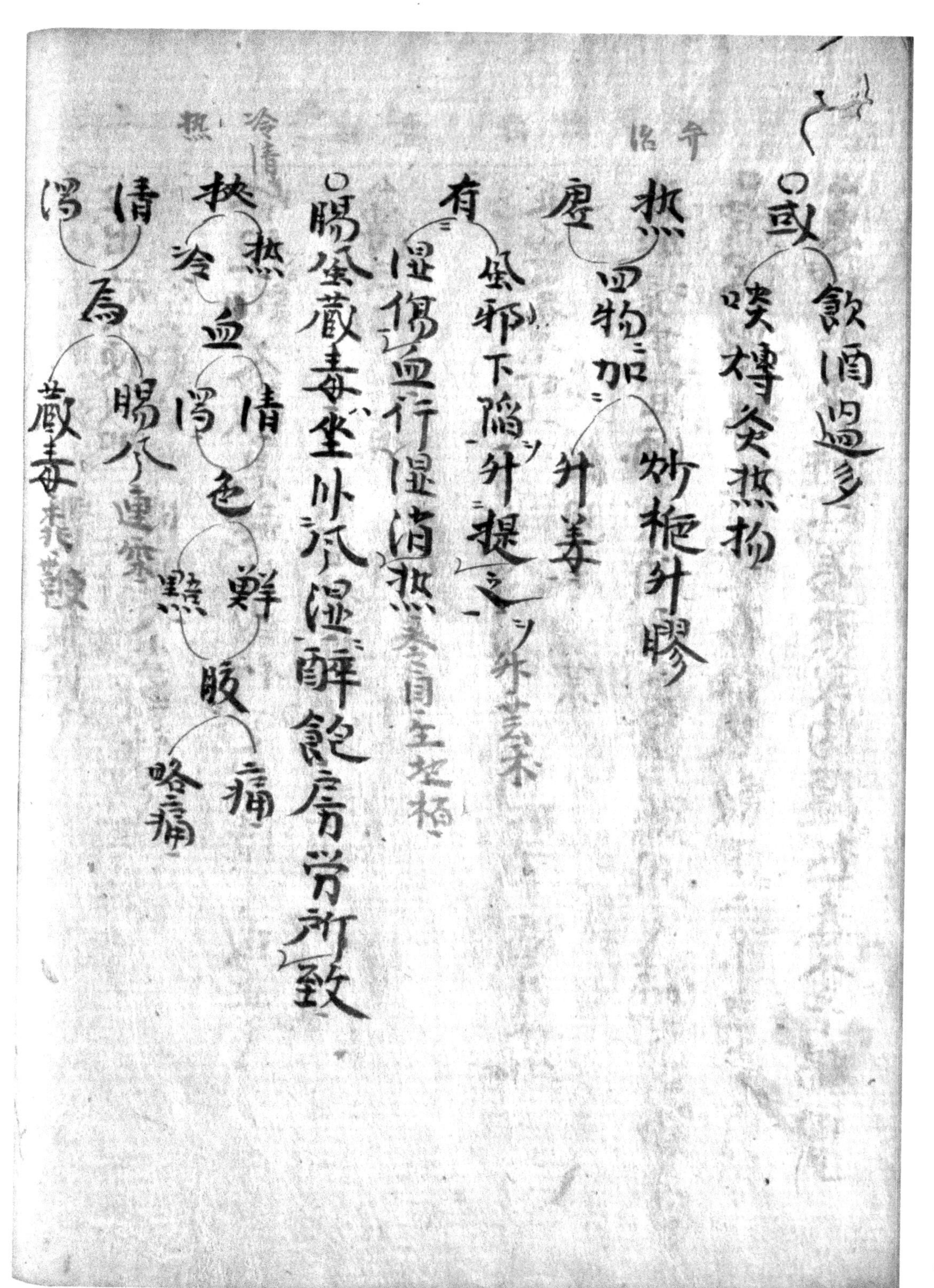

或飲酒過多
喫煿炙熱物
熱　炒梔升膠
四物加升毒
塵　風邪下陷升提之　升茎木
有湿傷血行湿消熱　參自生地梅
腸風蔵毒坐卧冷湿醉飽房労所致
挾熱　血清　色鮮　腹痛
挾冷　血瀉　色黯　略痛
清為腸風
瀉為蔵毒

痛承痛

○溺血爲熱 如痛爲淋 不痛承血 四物加棕灰連其人素病於

色目血塵四物加牛膝膏

血汗二

○血汗污衣如坯由大喜則血散隨氣行故也黄芪建

中湯辰砂妙香散

○傳云一男年四十素飲酒大便下血一日二三廁每次便

血一升許四物加蒼芸荊芷槐連日与服不効後椽斗

灰二ト入前茶汁服之又灸脊中對臍一穴血遂止永

不發

○林曰男子小便出血名莖衄宜髮灰散并茄天槐水

煎眼○鏡面草擣汁蜜水調眼○牛膝一兩水煎服

○生地黄汁合和服○尿後有血棉餅燒存性末米飲下

○齒間血出竹葉濃煮汁塩少許適寒温含嗽吐之

○齒齦間津血不止苦竹茹以醋浸一宿含嗽吐之

眼目　傳　惠

本　目—肝—心之使　神之舍—也

治　心

本　○目疾—理脾胃　養血　安神

治本之法也

芎　地　桂　牡　遠志

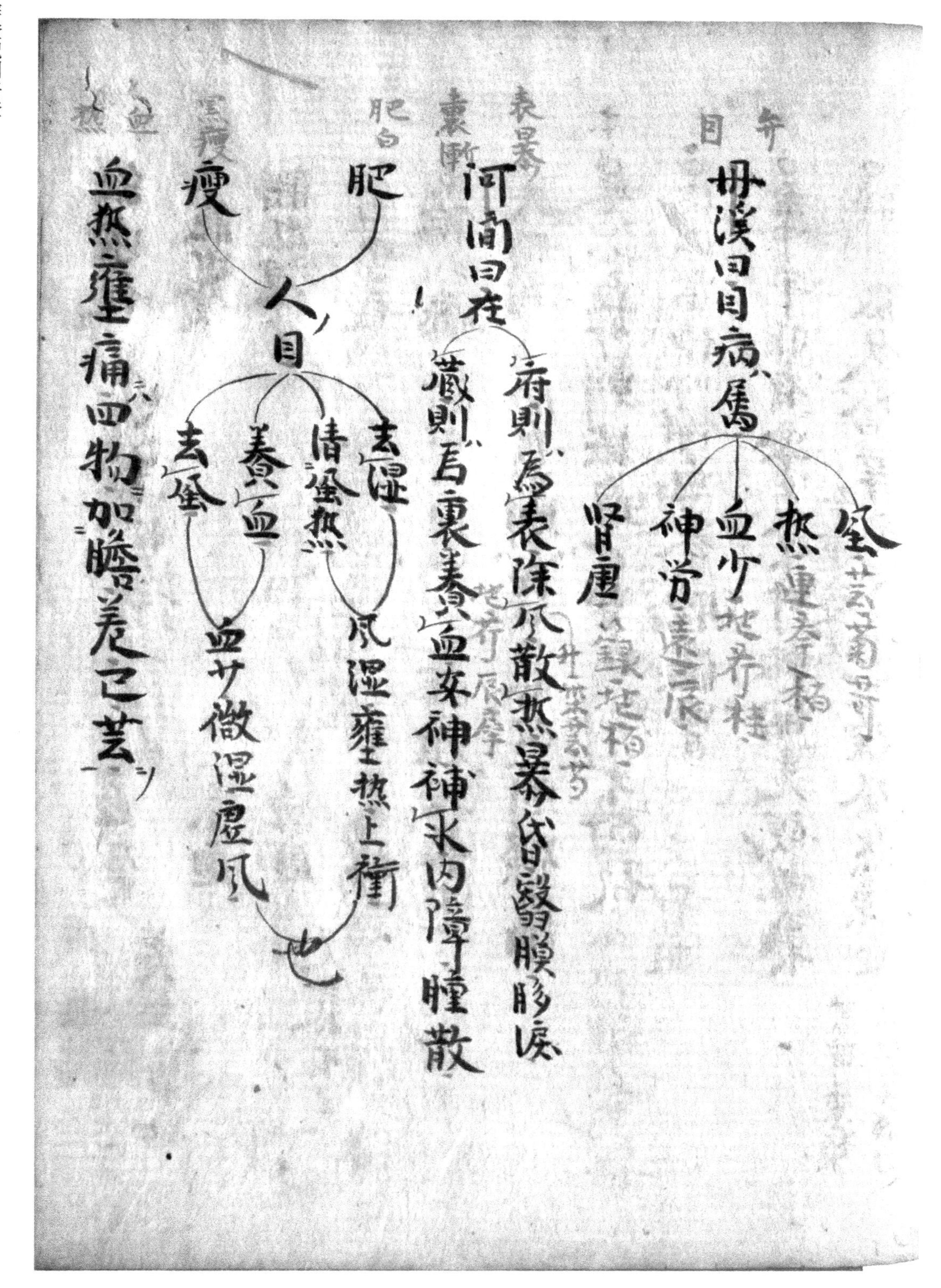
丹溪曰目病屬
風
熱
血少
神勞
腎虛
河間曰在
府則爲表除風散熱暴發膜膨淚
藏則爲裏養血安神補水內障瞳散
肥
瘦
人目
去濕
清痰熱
養血
去痰
風濕壅熱上衝
血少微濕虛風
也
血熱壅痛四物加膽草已芸

盛
能遠視
不能近視
火盛水竭 地芍芎柏
血盛
氣虛
老年有此

衰
能近視
不能遠視
有水無火 芎桂附
血虛
氣盛
元氣不足

諸目病治
五輪八廓肝腎虛実之論雖以尽述
〇大抵目疾肝熱則眵目〇心熱則燥痛
〇風濕血少則瞼痒〇腎虛則不耐視
〇治法當清心補血養脾滋腎 地芎芍歸录

慎
〇至中年非有要事不可輒開老視不衰

瞳
〇瞳子散大皆辛熱之為也除風熱涼血 芩芍連录
芎芍柴栢 地牡芎歸

久患 暴赤 倒毛 偷針 酒目

○久病昏暗熱地帰根爲君芸羌菊佐之

○暴發赤腫

芩芸
連芥
羌紫升芷辛
爲
君芩
佐連
使菊

○拳毛倒睫両目収緊急皮縮之所致也去内熱眼皮緩則

眼毛立出翳膜亦退

○眼瞼歳久赤爛爲赤瞎三稜針刺瞼外以浮湿熱

○目眥目生小胞不甚疼名偷針以針刺胞視其眥上即有

細紅点如瘡以針刺破目時即瘥故名偷針冥解太

陽經結熱

○形実之酒目育脉濡酒傷血死其中鼻及掌紫黒乃

散理　弁　血之　不及

滯血行而物加紅乘藕木陳調參朮脈數目ヲ愈煎

林同瞳子散大由食辛熱（辛ハ主散　熱ハ助火）上至腦中且精故

散精散則視物亦散大也

○聖人雖言目得血而能視然血亦有太過不及也

太過則目壅塞而痛

不及則目耗竭而昏　故

年少多太過

年老多不及

內眥太陽血多氣少

銳眥少陽血少氣多

多サ
去血
至升、

上綱ハ太陽血多ク氣少ナシ
文頻ハ陽明血氣俱多
下綱ハ陽明血氣俱多
推足厥陰經而已連ニ目系ニ

故ニ出血ハ宜ニ太陽陽明ニ。少陽ハ不宜ニ出血ヲ。目者肝之外候在ニ

五行ニ屬ス木ニ茂則蔽塞ス衰則枯痒ス

。治大之法在ハ苦鹹寒
吐之
下之
鼓桂膝変戦羚
硝黃ハ表柴連黃芩小錄

針ニ神庭上星顖會前頂百會
覚禁ニ顖會

。光ハ
火在上
水不足
故目昏見ハ
水在上
火在下
故目明

。眼蚕赤腫痛痒淚眵淚昏暗羞明。参皮滑石黃連 各等分。

右細末用半升沸湯泡去柤乘熱洗

○治目淚出不出黃連濃煎汁漬帛拭之疾愈

○目卒生翳灸大指横文三壯 右灸左 左灸右 良

○人年三十以上不灸三里令氣上衝目不明所以三里下氣也

○空心用塩揩齒漱口少時吐津於手中洗目令明夜見細字

○臘月不落乾桑葉煎湯洗目効矣

耳病　傳

患

痒鳴

中年之後腎水枯涸陰火上炎故耳痒耳鳴

目治

大病之餘

氣血　湯便諸證宜方

治法在滋南補北補陰降火劑四物加柏

○黃柏塩酒炒末爲丸

氣　血　虛　四君　四物　下

○有氣厥而聾耳有挾風者有勞傷者有腰耳傷耳

○憂思傷心々虛血耗而聾耳或鳴奔心腎氣平補鎮心丹

○遠房腎虛精竭而聾耳或鳴生精補腎肉蓯丸　蓯屯

○厥聾耳必眩暈流氣飲加菖蒲白生姜　芎柏

○風聾耳必頭痛桂星散　菊荊羌通芸菖

○蔵耳熱氣衆虚隨脉入耳聾衆

○停耳中有痰風熱結核塞耳

○治法風者散之熱者涼之虚者補養痰火清降之

○酒人耳鳴木香檳榔丸

○耳痛枯礬吹入耳

○耳聾以菖蒲鳥頭尖大蒜三味爲末調貼湧泉

○以別火下行

○二方磁石大豆 穿山甲 燒存性 末一字 右新綿裹塞耳中口中含

小生鉄一塊以耳内風雨声即効

薬

○耳内忽痛如有虫血水流出乾痛用蛇退皮燒存性細研以鵝翎管吹耳中之愈

灸

○耳聾耳蟬声灸聽會在耳后微前陷中上開下一寸張口得之五壯又灸翳風二穴耳後陷中按之引耳中七壯

不治

○治耳聾用呉茱子鵝碎以人乳調和綿裹塞耳

○水入耳薄荷汁点之

○耳中有物不出弓弦三寸打散一頭蘸膠着耳中ノ物ヲ上徐々引出

辛頞　寒　熱　鼻　紫　瘡　鼻　齆

鼻病

傳

惠

丹溪曰肺位多体膿性悪寒又悪熱

酒飲傷肺欝久ソ及鼻　爲濁涕

風寒飲傷皮毛而成鼻塞或　流清涕

○膽移熱於腦則爲辛頞鼻淵通聖散加荊連

寒壅麻桂表之寒傷皮毛不利而塞

熱塞芩連梔之類熱壅清通　陳皮生姜

○面鼻紫黑酒氣薫蒸宜化滯生新四物加酒芩紅花

○酒齄鼻血熱入肺脈業同前又梔末蜜丸空心白湯下膽礬付

○齆鼻息肉肺氣盛枯礬末綿胭脂裹塞鼻數日

自消防風通聖散

○鼻爲肺之竅不利有寒熱
寒：桃芎子芩芷桂陳杏參
熱：升葛通芩〻内梔芎

○林云主之氣血寒則通之 桃芎通桔芷陳
客之邪氣壅則散之 升羌芷芩葛芎荊

○鼻中生瘡搗杏仁乳汁傅之

口唇

傳云口病由七情煩擾五味之傷而所致也

病源云心氣通於舌脾氣通於口口和能知食味

分證配劑

肺熱則口辛喉腥　芩梔
心熱則口苦　連芩地
脾熱則口甘　芍[illegible]
肝熱則口酸　柴芥
腎熱則口鹹　栢知地
胃熱則口淡臭　[illegible]升葛
膽熱則口苦　柴胡連
三黄丸主之
柴胡湯加門冬遠志酸棗地骨

赤白口瘡
枯凡乳香沒藥銅綠末摻
乳沒雄輕　麸羊　巴豆　去油

囙

公惠云脾氣鬱滯而熱加之則發口瘡

唇緊口小不能開合飮食不得不急治則危名曰緊唇亦曰瀋唇

青布燒灰酒調服又馬莧洗之

唇緊燥裂生瘡青皮燒灰猪脂調付

治

咽喉 附舌

公惠曰喉舌之病多屬火然雖有數種惟輕重之異乃火之微甚也

微而輕者可以緩治

甚而急者針刺爲上策

後人詳其狀強立八名 微者以鹹軟之 大者以辛散之

緩急

重舌

○喉痺多屬痰

重者宜用𫁻吐法。輕者用鼠李根嗌之。

𫁻研水付舌下。

治法

○纏喉風屬痰熱。宜探吐。用灯心燒灰吹入喉中。藥不下灌鼻下。

叢

○咽喉痛。荊芥桔梗煎湯漱。脈熱加芩穀。

叢

○喉乾燥痛。四物加桔梗荊芥知柏立愈。

惡

○喉痺心腹腫痛者難治。

○一方。燈草紅花各燒存性。研酒下。腫消。

叢

○一方。白梅鵬研綿裹含之。

○傳曰。卒然腫痛。水漿不入。言語不通。死在須臾。

急

○會厭之一兩傍腫易治。一邊腫難治。皆相大所衝逆耳。

〇經曰水不能勝二火五火其真水易虧相火易動

大怒則　房労則　飲食失節　火起于肝　腎　脾胃之類故知火者疾之本　疾者火之標

〇治法必先大甬其疾或針腫処作急則治標之法也故治痺

之火与救火同不容少待

宜從治桔梗荊芥羌活蒼朮茯苓玄參之類少加干姜附子

等為嚮導

徐之頓与从治之大法也

從治

不可好服

先徐　頓戒　頓服

〇後用芩連梔柏血止治　上焦未除　中実夜生　毒気乘虚而入脈殺

喘不止可治矣

不治 ○兩寸脉浮洪而溢喉痺也脉微而伏者死也

冝梨 ○喉痺及喉中熱痛等證用上好消梨杵汁頻々飲之

患者能自嚼吞下亦可多食爲良

茉菪 ○失音不語杵茉菪汁入姜汁少許時々飲之

衄 ○舌無故血出曰舌衄香薷汁服之

舌腫 ○舌卒腫滿口不治鍋底墨醋塗舌下

舌脹出 ○林云舌忽脹出口外雄雞冠上刺血盞盛浸舌就嚥下

尋常神効

○一方治重舌喉閉朴硝白礬末摻入喉口

牙歯　傳

宜忌

胃之脉絡上斷　惡熱飲　喜寒飲　止而不動

大腸脉絡下斷　惡寒飲　喜熱飲　動而不休

風痛　有開口呷風則痛甚者胃中風邪也

穢臭　有開口則穢臭不可近者腸胃積熱也

胃虚　齒齦宣露動揺胃之虚也　積

胃熱　憎寒惡熱口臭胃氣之熱也

肉平腸胃之火以安其本　録升膏荊硝參苓牡連膽

升擦牙誅其邪以治其標　雄右灰乳秋也

灸　上下斷痛灸手足三里之二穴

○治胃実熱歯痛上齗痛甚酒蒸大黄ヲ為君知升膏ヲ
為依形合嗑ニ即愈
○灸牙痛列鈌ノ二穴 灸七壮 其痛立止永不ニ再發
恵心曰口者脾ノ之竅歯牙者ハ腎ノ標
○牙歯ハ喜寒ニ寒則ハ堅牢ナリ
熱甚則ハ動齗 齗脱シテ作痛
腎衰則ハ歯豁 精固則堅ニ
大腸虚則歯露 壅則浮ツ
疳蠹則齲脱
○丹溪云牙痛出血胃口有熱又有ニ 風寒ニ荊芥 虫飲乳香 温熱ニ銀子升麻

升佐

諸證

○實熱腫痛，調胃兼氣加連

○數痊已立燒梢薑之

○蟲牙不怕冷熱，牙皂姜蚕蜂房草烏

○寒牙怕熱湯，用良檄細

○熱牙怕冷水，用硝荊雄薑黃

○有穴數者，駐牙用雄黃石灰

固證五方

經曰陽明多血多氣，以膏粱助其濕熱，故為齒斷痛，以黃連胡桐淚之苦寒，薄荷荊芥之辛涼相合，作沉寒之氣治濕熱為主，升麻苦平，行陽明經為使，牙齒骨之餘，以羊脛骨灰補之為佐，麝射少許入肉為用，為末

擦之痛減半又調胃承氣去硝加連以治其本服之

下三行痛愈遂不復作

○治牙痛用燕屎丸疼牙咬之丸消愈

○治齒痛嚼時薰陸香嚥其汁瘥

○又芦薈末先以塩揩齒令淨然后傅末

○一方馬夜眼燒存性末敷上立愈

○小兒牙疳一時府肉爛多有蝕及唇齗候冬五倍燒白

霜梅燒 杉皮燒 穿山甲灰 白凡大長乙

右細末先用茶清布揩淨小兒睡着搬唇摻上即

愈

一　鬚髪　　恵

足少陽膽之經其栄在鬚

足少陰腎之經其華在髪

衝任爲血海其別絡上唇口血盛則栄鬚髪

若氣衰弱不能栄盛故鬚髪禿落

治無鬚髪用胡瓜葉擾汁塗之即生

長養鬚髪落生姜皮焙乾人參各等分右細末生姜一塊

切蘸藥末鬚髪落處擦之二日一次以用

刘君毎燒己鬚髪冷頭垢等分服如豆許三丸合日還

精令髪不白

解毒 惠林

○解砒毒，用藍根、砂糖、薄荷汁研水服之。又青藍汁三。

磨甘草節同服。

○巴豆毒，芭蕉根葉汁服。

○治食河豚中毒，白凡末湯調服。河豚剝皮大及敬不。

同用。

○中菌毒，忍冬草生喫，遂愈。又服地漿水。

○治蠱毒，白凡末、甘草末，右細末，每服二錢，食遠水調下。

或吐或瀉，黑逕皆効。

○凡人入有毒之所，飲食内先以犀角攪試，有毒即

白沫辣起無沫即無毒

食魚中毒濃煮橘皮飲汁

救急 惠林

破棺散 治魘寐卒死墻壁木所壓氷溺金瘡卒悶絶産婦惡血衝心 謂五絶

手足 湯泡七次去滑爲末吹入鼻中

或以皂角末吹入亦可又痛咬其足跟 踋甲

救溺氷不甦皂角末葱汁和丸来棗核塞内下部中其氷自出又灸臍中

治縊　凍死　戒　菉　救絶

救自縊心下微温急使縄寛解徐々撚正喉嚨以他人手掩其口勿令透氣兩眼氣息即活　以藍汁灌之

又灌雞冠血 男雌 女雄

救凍死口噤只有微氣大釜炒灰令煖袋盛熨心上冷即易之目開氣出後以粥清サ々進之若不先温其心便用火炙必死或脚指落

一言陳皮去白剉　水煎入生姜汁温服

救五絶取葱黄心並黄心 男左 女右　鼻中刺入四五寸血即活

救中悪中忤魘夜或登厠或出郊或遊空室冷屋或

人所不至之地忽見鬼物鼻吸惡氣驀然倒地肢冷手握鼻口出血而勿移動即親人圍繞火燒麝安息直候醒者方可移牙皂麝香右為細末每服二錢水調灌之

一方雄黄之末一錢桃葉煎湯調灌下又灸人中穴又灸臍中百壯

辨證配劑醫燈
三
上
辰 2
51

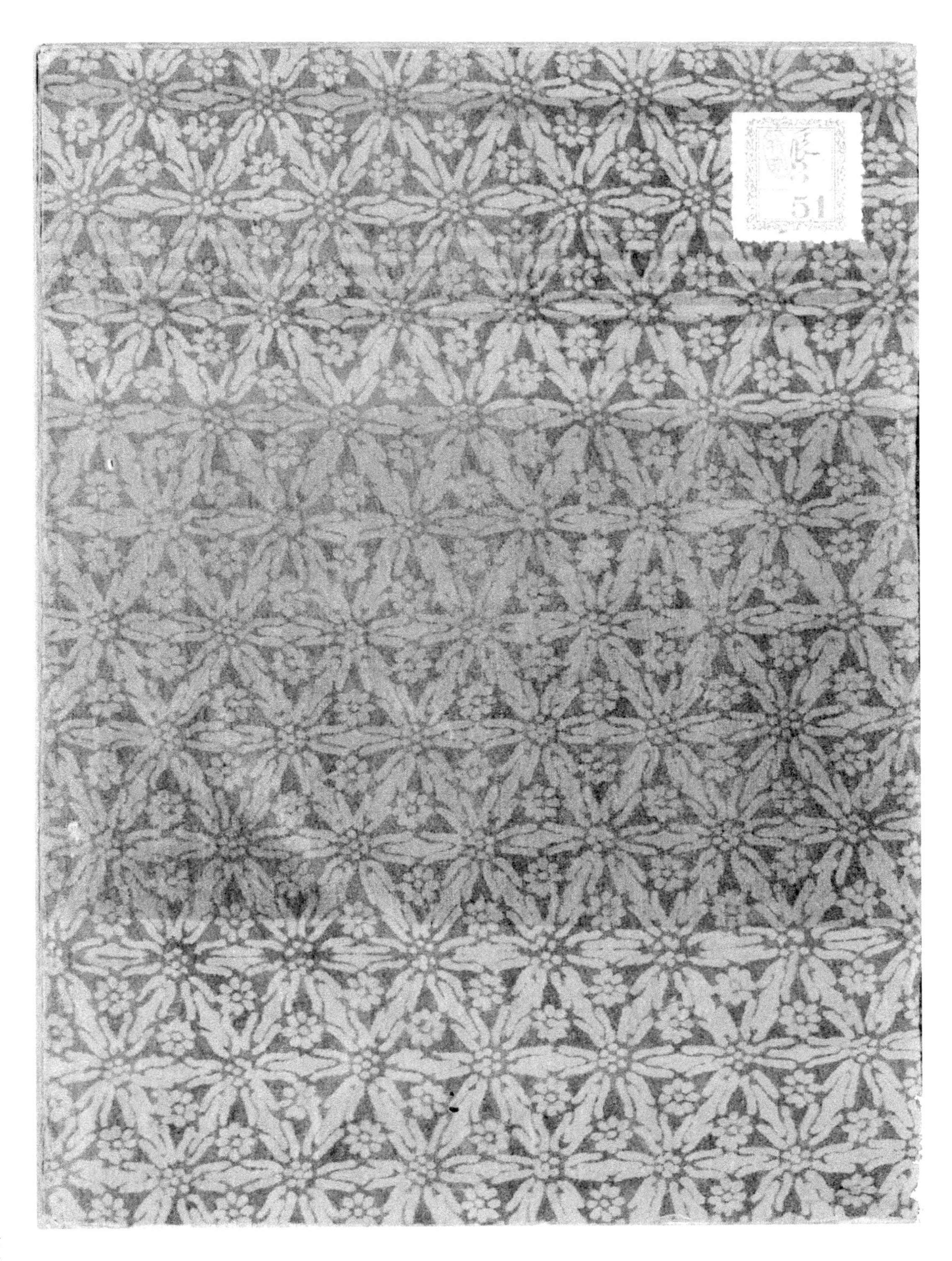

辨證配劑醫燈卷之三目録

外科門

△老人门

△婦人门

一 月經　　二 血瘕　　三 傳月經
四 帶下六極　　五 胎前　　六 臨產
七 難產　　八 產後　　九 嗣續
十 斷產

小兒門

一 拭穢　　二 刺泡　　三 回氣
四 通便　　五 貼顖　　六 乳哺
七 防撮杜噤　　八 護顋　　九 小兒脈法
十 觀刑　　十一 察色　　十二 聽聲
十三 視手紋　　十四 審外證　　十五 傳歌訣

辨證配劑醫燈卷之三

日東雒知若君道三校録

外科

一瘡瘍（患內傳外）則（水謁火炙风傷熱迫）

經曰膏粱之變足生天下

又云營氣不從逆於肉理乃生癰腫

又云諸痛痒瘡瘍皆屬心火

又云熱勝血則為癰膿

又云地之湿氣感則害人之皮肉筋脉

小瘍 大癰

發（皮膚根ナ不過三二寸為瘍）（肌肉之間皮光廣大為癰）

腫瘍爲（虚實）宜（頭利）神益
潰淺深浮露而淺者爲癰宜外消
藏伏而深者爲疽宜内托（曾喜）
不易定議也
九逆見三則危
九逆眼白睛黑目緊小一逆不能飲食納藥而
逆嘔食不知味二逆傷痛渴甚三逆膊項轉
動不便四肢沈重四逆聲嘶色脱唇黑面
目四肢浮腫五逆煩燥時咳腹痛泄利無
度尿淋六逆膿血大洩燃腫尤甚臭敗莫

逆七逆喘兼氣短恍惚嗜卧八逆未潰先黑陷下青唇黑便污九逆也

恶

恶噫氣痞塞喘咳身冷自汗目瞪耳聾恍惚驚悸語言錯乱皆是恶證也

厶五順見三則吉

五善

動息自寧飲食知味一順便利調匀二順神彩精明語声清朗三順膿潰腫消色鮮不臭四順体氣和平五順也

厶内托之至理

諸曰積毒有藏府助氣壮胃固本
内行經活血為他
左參經絡聚令使毒氣外発
治之早可次内消
皆内托之意也

弁
皮 緊急、雖悪而善
緩虚、雖善而悪

厶脉弁

浮數應発熱不発熱而反悪寒瘡疽之謂也

瓦見膿潰之後易治脉病相應也滑未潰宜内消

既潰宜托裏 始為熱 終為虚 脉洪大瘡疽之病進也未

結膿若宜下虎実朴

脉實宜急下之虎硝实

潰後洪見難治若自利不可治

脉微潰後見歪白瘡
緩脉濇遅潰後見之皆易愈有胃氣也
脉沈伏邪氣深也
脉濡弱皆宜補虚排膿托裏
脉長ハ吉短ハ凶
虚宜托裏和氣養血参陳朮地芍紅芎
促急下之以陽盛也黄実朴
結陰盛也凶代則死牢則不可内消
△河間三法
○外之内脉浮数焮腫在外恐毒氣極而内攻宜先托裏

内之外脉沈実発熱煩躁外無焮腫痛深於内其毒深矣故疎通蔵府以絶其源
内外之中（外無悪焮之甚 内則蔵府宣通）和其有経当和栄衛
三法能用為末即瘥以無変証

腫
潰 瘍内外皆（壅托裏表散為主 虚補接為主）

顛為諸陽所聚艾炷小而少也
腫瘍以手按（熱則有膿 不熱無膿）
膿出而反痛為虚宜補之
疽発深不痛胃虚死肉多不知痛

咽
腫瘍潰後嘔吐　毒氣上攻生姜橘葛荷　陰虛補之桂苓參而合

渴
癰疽渴、血氣兩虛　生芪補氣　芩地養血　忍冬

能功
蒲公英、化熱毒消惡腫散結核解食毒散滯氣
入陽明太陰

功能
合歡皮入長肉膏藥用之有神効生肌止血定痛接
骨續筋補虛合歡皮常服之驗アリ矣

二便
大便秘　加大黃
小便澁　加木通車

益
諸經惟少陽厥陰之經生癰疽宜預防之以多氣少血也苟

經々預防
不知然遽用驅逐利藥以代陰分之血禍不旋踵

徵義云不惟初發宜灸至成漏者膿水不絶内毋好肉
尤宜藺附子灸之脹内托之菜藺三日每灸不五七
次肉長矣
河間治腫焮于外脉多浮病在皮肉邪氣盛則必侵
于内急須内托宜後煎散除湿散鬱使胃氣和平
錄醫鑒 參 苓 甘
芍 苓 木 芥 芷 桂
如大便秘及煩熱少脹黃連湯徵利
煩退却与後煎散
蜞針可施小證積毒在藏府徒竭其血無益
十全大補湯宜續後補血氣進飲食

一醫癰陰中之陰血氣罕來中年後纔腫痛參之
脉證見虛弱滋補血氣
一肺癰咳嗽膿血其脉実数胸隱痛脉反滑数
其脉 緊数為膿未成 緊去但数膿已成 先解表邪後浮肺湯桔梗湯取
膿終以黄芪湯補裡陰
一乳核先治必成癰疽
乳 旁陽明所経 升葛芷 頭厥陰所屬 青柴川
忿怒所逆
鬱悶所遏 厥陰氣不行竅閉汗不通 青皮 橘葉
厚味所釀

陽明血沸熱化作膿 葛升膏

○乳核初橘軟吮汁可散

初治 以 青皮疏厥陰之滯 石膏清陽明之熱 加青橘葉没茉皂角刺金銀花

赤 芙 忌針刀

○ 蒲公英 忍冬藤 入廿酒煎服即欲睡是得効也

未 潰 青蔞桃翹芎橘葉皂刺寸節

已 潰 參芪芎芐芍青翹蔞耳節

乳 表 ○至瘡破潰陷名乳岩難飲食如見五內乃死初

覺青皮寸中煎服

五 一囊癰濕熱入肝經施治補陰佐之 栢朱荷 以錄合地

雖膿潰皮脱畢凡懸掛者不死野紫蘘 面青 背红

焙末付之青荷葉包之生皮作膿者瀉氣流入

滲道膿尽自安不药可也

六

一便毒一名便癰一名血疝一名騎馬癰

厥陰經湿热因労倦而発 衝任督亦属 肝之傍終 是血氣流

行之道路也途壅而為癰宜導水風羌仁兼氣

太下之次和血行氣

野干三寸 紫花是 红花非 加生姜煎服利二三行シメ効ス

已結成膿虎実翹羌寸生姜煎服

又名路岐衝任為痛見於厥陰經之分野其經多

血皆熱鬱血聚而成也
初宜疑利之即散 虎牽苓消
治法 沒蛎木通
膿後如常用托裏内補 桂芍寸
芷貝合芪
七 一瘰癧 樞要云結核是也
經傾久 必起於少陽一經不守禁忌及陽明在耳前耳後
耳下頤頷在頸下連缺盆謂瘰癧
馬刀 或在肯及胷之側或在兩脇謂馬刀 手足少陽主
之多氣少血故大小不定

源曰 白毒曰風曰熱凢食味之厚飲氣之積於二端榣别變摸須分
虗實實者易治虗者可慮
慎 多氣少血 婦人見此証若月經不來実熱便生稍久
轉為潮熱危矣
戒 自非断慾淡食神仙不治尚忌嗔怒愁恨
加 頑躁欲去花胃中有伏火加梔
在上焦苓升梔
中焦連芍翹
下焦栢知巳通
治 虗 凢用藥之法不惟瘡家諸瘍重人素氣弱者當去苦寒之
一 藥多加參芪耳瀉火而補其元氣

一疔瘡刑如丁蓋之狀
諸書數說有十丁五色丁十三丁皆不離於氣客於經絡五藏
內蘊熱毒而致
初起瘡心先痒後痛先寒後熱四肢沈重心驚
眼見火甚者吐逆吐逆者難治
凡丁腫看口中頰边舌上有赤黑如珠子者是也
毒入腹則煩悶恍惚似醉如此三二日死宜速治之
一瘰癧
瘰有五石肉筋血氣不可次破破則膿血崩潰多
致夭枉

瘤有六骨脂石肉膿血惟脂瘤可破去脂粉則愈
餘五不可輕决破

一癬
遍身癬有出睛明會撥出者用針灸頭処挑出責
即愈
腿膝胯牛皮癬牛皮燒油付

一白癜風小麥攤石上以鉄燒紅壓出油搽之効

一奶精瘡膿汁淋瀉息爛恐荊蚰芷樸硝煎洗連末欵末先
以地骨虵床煎湯洗帛拭乾以米津調數
又田螺燒末入輕粉付

一方輕膏爲末乾傳 粉・雄・硝・栢・乾

一方細研生白凡傳之 炉・竜を 付ヨ

又黛蛤連密陀各末付

十三

一疥瘡脬肺凡邪客於皮膚淨之身瘙痒致生疥

瘡久不瘥硫椒膏柏凡細末油敷

一方加雄輕

十四

一方苦參蛇床白凡末荊芥各分右剉煎湯放温洗

瘊子取蜘蛛絲纏於根下妙

一方用頭髮纏於根下取

炙瘊子上二壯以水濕之即去

十五
一湯火傷
歛瘡口生肌肉接勢毒止疼痛歸剉 黄蠟各一兩
麻油四兩 右先將歸入油煎焦黑色去粗入蠟
攪放冷攤貼之
一方輕粉少許 槐樹皮去麁皮焙乾末
右研細油調付濕則乾付
一方赤石脂寒水石大黄右等分末水塗
一方草麻子蛤蚧等末湯損油調 火瘡水調 塗
一方生胡麻杵如泥厚封之勢油燒痛汲白蜜塗之
十六
竹木簽刺

○治竹木針刺在肉中不出生牛膝莖擣末塗之

又擣蠐螬傳之効

一方象牙屑研細撈之其刺頭出用手指甲捏之

一方以鼠腦擣如膏厚塗即出

一骨鯁

○治食諸魚骨鯁好蜜匕抄稍々服即下

一方野苧根洗擣如泥丸龍眼大嚥喉中効

一方鯁骨横喉数日不出鯉魚鱗燒屑水服則出来

出再服

一方取虎骨爲末水服方寸匕也

十八

一蛇傷

初傷針挑起咬処皮輕〻剪去捏出些血即愈

○慎勿遽用雄黄等付薬恐毒氣不泄反攻其内

○毒氣入内眼黑口噤手足強直白凡研甘各末分末之

冷水調下或次貝母末酒服查付

又白凡燒汁熱滴咬処立瘥

十九

一獸傷

春末夏初犬多狂尾直下不卷起口流涎舌黑被其

傷橙毒急於無風処〻吮出瘡口血若見針刺去血熱

小便洗明凡末入瘡口畏之痛止速愈

一方嚼杏仁付之又葱白擣爛貼之又牛屎塗之

○馬咬塗人糞鼠屎燒末猪脂和付宜服童便

○猫咬薄荷汁付之

鼠咬麝香末津調付

跌撲損傷 惠傳

△墜壓損折整頓手法并用茱備医林集 口傳

心捿能至其妙撮要略以備急用

○理傷續命秘法

一煎水洗二相度損処三拔伸四用刀収入骨五捺

正六用黑龍散通七用風流散塡瘡八夾縛九服

薬下再洗再用

○撲墜夕損氣絶不語取薬不及開口以熱小便灌之凡損一月尚可整理久則不可

○凡損膧是血熱薬水泡洗黒竜散付（穹十皮芥 枳葉ミ百中）

凡跌損腸肛中瘀血脹散（アラフ）血（牡桒紅棠ミ蘇木）

○凡損二便不通不可脹便損薬必熱暴氣加木通後脹損薬（桒牡紅）

○凡合薬不可無乳香没薬血竭

○冊溪云跌撲損傷

通治

用蘇木以活血、黄連以降火、白朮以和中，童便煎尤妙，能下瘀血

如在下者可下瘀血先須補托
在上者宜飲韭汁

戒

不可飲冷水

○腹痛者有瘀血桃仁承氣加蘇木紅花

○損傷妙在補氣血俗不知多自然銅接骨此謬須煆出火毒方用否則燥散之禍甚於刀釼

○骨損古文錢五文醋浸乳沒末一分酒服

○跌損瘀血疼痛久不瘥蘇木紅花莧連根焙乾

各燒存性為末酒下

○金瘡血出過多四物加叅茋

○凡兵傷血出必渴甚禁飲水只食乾食肥膩之物不妨若食薄粥則血沸出必死當忌犯之多不救

○急以石灰厚付裹之如瘡深不宜連合者加滑石付

又老杉木皮為末付

○用菁針花綿花塡瘡口即血止不作膿紙灰亦好

或野苧葉搗碎付冬用乾者

○又傷磕破竹木簽刺皮破血流欲止血生肌亂沒謁炉煨赤石脂帰

右研細撲傷処　初傷加竜骨少許　久者洗乳加脳子少許

〇鏃不出搗鼠肝塗之鼠脳亦可即出

〇杖瘡皮不破肉損者蘿蔔搗爛罨之

〇跌損撲傷一絲血入心即死

雞鳴散墜下諸壓瘀血凝積痛不可忍並

治此薬　推陳致新

皂一両　杏二十一粒　右研細煎入酒再煎去柤鷄鳴

時服至曉取下瘀血用杏而不用桃者

以行氣中之血也

一漆瘡　林

○用磨刀石上泥塗之妙
一方薄荷水煎洗瘡上即癢
一方以韭菜研傳之妙
一方以湯溶芒硝令濃搽之即愈
一方蜀椒煎湯洗之妙
一方用莧菜煎湯洗之
七三
一方效菜葉煎湯洗之
一破傷風湿 傳惠
證曰
若夫破傷風証曰言文擊破皮肉往々視為尋常
殊不知風邪乘虛而客竟衷之衝而變為惡候

○文諸瘡久不合口風邪亦能內懿或湯洗艾灸而湯
火之毒氣亦與破傷風邪無異

陽易 陰難
○破傷風邪　在三陽經則治而可得効
　　　　　若入三陰經腹滿自利口燥

腹寒
○目乾舌卷卵縮死

弁
○凡金瘡卒　無汁者中風也
　　　　　血自出黄汁者中水也（アタヨリ）

○文痛不在瘡処者傷經絡亦死

急証
○金瘡痓者由血脉虚竭口急背直搖頭腰反氣
絶汁如雨不及取救者皆死

風濕
○瘡口未合　風入為破傷風
　　　　　濕入為破傷濕

○脉
- 浮而無力太陽汗之
- 長而有力陽明下之
- 浮而弦緊少陽和解之

○
- 背後 — 羌独芸芎苛蔯
- 向前 — 升芷独芸芎葛生姜
- 兩旁 — 柴独芸芎石

搐

搐加滑石蒡桂

大便秘、小便赤 — 汗不止脉沈在裏兼氣下之加梔

○林曰破傷風勢甚沸脊在表而裏裏氣尚平著善伸數欠筋脉拘急或惡寒或筋惕而搐脉浮數而弦 羌芸芎芥当芍地榆芷葛升荷没

楊梅瘡 附臁瘡

患曰楊梅瘡或名綿花先年南廣有之近年以来極多庸醫發速効粉丹膩等毒劑峯而氣血實盛者得愈無复怯弱之人变生壞証當量人虛實用之可也

臁瘡者由胃虛風邪毒氣外攻三里之旁流注兩脚生瘡腫爛痛臭難安生於臁骨爲重以骨上肉少皮薄故難愈愈多年無已瘡爛皮爛肉現臭穢可畏治法先取蟲然後敷藥

五倍鉛丹雄乳没並連軽栢海螵竜梹丸

六四

△癘風 纂要云癘音賴

△患曰大風有五黑色不治

弁 剖

○蟲食

肝 眉落 柴芎南青秦

肺 鼻崩 枳苛芸貝升芩

脾 声啞 牛蒡子芥半蒸

心 足底穿膝屁膧 苦參連翹

腎 耳鳴啾々耳緣生瘡 遠牽知地羌

○痛痒如針刺食身則皮痒如蟲行

順 逆

○自頭面來為順風

足下起為逆

○先以再造散下去惡物積蟲以稀粥食半月勿

妄動作勞 大黃 鬱金 白牽牛 皂刺

○後以醉仙散或利或不利不必畏怯

丹溪云後用通聖散更以針委中出血

戒○雖已全愈不絕味斷慾皆不免於再發

○治遍身惡瘡濃煎浮萍湯浴浸半日大効

傳云治要

先
- 殺其蟲
- 浮其火

然後
- 生血凉血
- 祛風導滯
- 降陽升陰

皆爲治之急務也

○八方之風起自於八方應其賊則物生違

其賊則殺物

（上下 之血）氣血受之則在上下氣血俱受則在上下皆不

外陽明一經謂胃与大腸也　多氣　多血

經ニ三ミアルノ

治法　先大瀉惡毒穢積如虎豕牛之類亦已禁
又針看肉黑処及委中紫脉刺出死血

秘旨　上先見上体多者在上取証血於齒縫中出
下先見下体多者在下取惡物陳蟲於穀道中出
大便道也取蟲雖蹊殊皆不外手陽明耳

一老人

一奉親

資氣血

〇恵曰高年之人真氣耗竭五藏衰弱全仰
飲食以資氣血

回。若（生冷無節 飢飽失宜）調停無度動成疾患凡人疾病未有不由八邪（風寒暑濕 飢飽勞佚）也

先食後藥。爲人子者得不慎之若有病先詳食医之法飡食療未愈然後命藥

戒。飲食不可傾飽恐膓虛不能消納也

侍。常令人隨侍不可令孤坐獨寢

。床塌不須高廣低則易升降狹則不容漫風枕宜低長實以菊花低則寢無罅風長則轉不落枕

慎。老人多困坐則成眠左右置欄前設几免閃側之傷

衣。衣服不宜寬長宜窄下衣貼身煖氣着体

孝而順

。老人倦惰不能自調在人資養以延遐筭宜察寒溫依四肢攝養之方順五行休旺之氣恭恪奉親無怠無忽

一診治

老人常態

。患曰人生至六十七十之後精血俱耗平居變已在熱証何者頭眩目眵肌痒溺數鼻涕牙落涎多寢少脛未風先寒食適易飢笑則有淚老境無不有此足弱耳聵健忘昏暈腸燥面垢髮白眼花久坐兀

戒

。烏附丹劑不可妄施至於飲食烹炮亦宜有節

常平慎

。倘時有煩渴膈熱大腑秘結但隨証以常平湯兼微

微消解不得頻用轉瀉之藥若寒之劑（不偏不倚）

宜順治之溫平順藥氣進食補脾中之藥

不同少壯用狼虎之劑務求速効

若（汗之則陽氣泄 吐之則胃氣逆 瀉之則元氣脫）立致不虞大戒也

父母有痰當汲迎医驗方合藥爲爲務

一老人中風（氣虛 血澁）尤爲難療

或（手足之指 大頭二指）麻痹 （口眼撣搐 口角流涎）皆中風之兆也

便可服風藥或曰（痰氣食）隨証治之至中則危矣

一痿弱

老人精血虛耗，使皮肉筋骨痿弱無力，故致痿躄狀與柔風脚氣相類。

風氣皆外邪，曰痿則内藏不足之所致也。

不可槩作風治。由肺金燥，血液衰不能榮養百骸故也。

一氣中者，先以蘇香灌之，醒後勿再輕用，隨寒熱虛實別調之。

○無故而瘖，脉不至，不治自已，謂氣暴逆也，氣復則已。

六

一痰証老人至多

熱痰多煩熱爪痰多成癱瘓。冷痰多成

骨痺。湿痰多倦怠軟弱。驚痰多成心痛

癲疾。飲痰多脇痛臂痛。食積痰多成痞

癖腫滿察證脉知所挾之邪隨表裏上下虚實次

治之尤忌峻利宜補脾胃清中氣自然運下

七

一虚煩發熱老人多有此證

曰證

或（用心于經史／熱衷用心／經營用心）作勞婦人或女工作估致勞傷發熱

頭痛脉或（浮數／細微）皆無力似傷寒若不斉妄（汗／泄）

則氣血愈虛禍不旋踵

八 一中年已上之人氣血兩虛精神短少頭每痛日晡微熱食少力倦腰脇酸疼宜服固真飲子備五味氣合中和補五藏之真精益三焦之原氣生津液而榮衛充實利機關而飲食自倍

備味 合氣

慎 固不可例用香燥金石之劑東垣飲食勞倦內傷之氣則胃脘之陽不能升舉心肺之氣陷入中焦用補中益氣治之此實是也

但於氣之降陷者固効，升上者反增病，豈可特為例用之法乎

夫西北人陽氣易升，東南人陰氣易升

雖云西北二方亦自不同故升陽滋陰之業必求的在之處合宜而用可也

九潤腸

一老便閉不可用大黃也宜益液枯用之則愈耗通後必再閉甚於前宜潤腸湯丸

十治瀉

一老人久瀉液耗少無積者必先實脾土兼陰升胃氣為主

十一嗽逆

一老人久嗽肺氣不足滋陰補氣降痰為主不可驟

用麯藥監劑恐因寒湿热藥邪得陷無由消散

十二 宜升

一老人痢多由湿热或積滞但虚实不同

老人脾弱當補兼消導滲泄消則可

十三 尿數

一老人小便頻数宜滋陰補胃氣為主

十四 陰虚陽旺

一老人陰虚陽燥凡七情所傷五志過極十

居八九不可香燥辛热之劑

十五 積補 湯丸消

一老人積聚在原氣胃氣虚者惟宜攻補兼

劑以湯補養丸消之

十六 宜升

一中年以上服香非素有热証不可服苦寒

之藥及燥劑風劑大抵原氣陰氣不足

能遠視不能近視乃氣虛血盛老人桑榆之象也

能近視不能遠視乃血虛火盛原氣不足而然

治法。宜耳寒冲淡地黄山茱之類滋陰養氣

十七。如夾痰与濕熱七情六鬱分治之

一老人頭眩

。實者 痰涎宜開痰導鬱陳痰 曰风火眩動宜清上降火芩栢 食宜消導朴陳枳縮

虛者用 升陽補氣 滋陰補血

十八
一年高之瘡腫最慎之

若陰陽滯於 陽則為疽 陰則為癰

十九 一老人喘嗽
大衰肺。澀補則甚峻補則危
廿 一老人目暗耳聾
戒 胃水衰而心火盛也若峻補則胃脯涸火彌茂矣
六二 一中焦空弱曰証
曰証 ○林曰至於飲食七當謹節夫老人内虚脾弱陰虧性急也内虚胃熱則易飢而思食脾弱難化則食已而再飢陰虧難降則氣鬱之而成痰至於視聽言動皆成痿懒百不如意怒火易熾雖有孝子順孫亦是動輙振惋况未必孝順乎

物性之熱者炭火劑作者氣之辛辣者味之甘
膩者其不可食也
明矣多不如少不如施
惟飲與食將以養生不以致疾
若以取養轉爲取害恐非君子之取謂孝
與敬也如之何則可
曰好生惡死好安惡病人之常情爲子爲孫必先開之
以義理曉之
一不審因證非孝慈
程子曰病卧於床委之庸医比之不慈不

孝医業之奚可草々而為哉
囙病人之虚實形氣脉證而製方有病之變化與
窮人之形志若藥不一地土所宜証有相似治有不同

七三 慎

一酸可宜節

林云醋酸發可以之調和諸湯儘可適口若和
與肉其致之病以漸人所不知
酸收可滯也人能遠之亦却疾之一端也

七四

一補陰龜鑑

俗以肉為補性之物肉無補性惟陽補陰
令之虚損者不在於陰以肉補陰猶緣木

而來與何者肉性熱入胃便熱發々々便生痰々多氣々使不降而諸證作矣久病后用作養胃氣胃氣非陰氣所以淡味為自養之良方安心使內火不起也

婦人

一月經

厶惠曰月信

調理應艮則病不生

一有乖張則諸病生

丹溪云有

- 経閉不行
- 不及期
- 過期
- 妄行
- 色紫黑
- 色淡
- 成塊
- 作疼

者

林曰四物加

莪桂治血虚腹痛
芃羌治風聰
朴陳治氣虚血刀
芸羌治筋骨痛
檳木治心腹滿悶

過期

血寒也ヤ也芍芎參朮（寒〻ハ加姜桂）
血虚也四物加芪朮陳升
肥白人痰二陳加朮芎芍附
作疼虚中有熱芍地朮陳參
色淡痰多二陳加芎芍
色黑紫有塊亦血熱四物加連附

不及期
血熱也四物去地加芩連
肥人兼痰治朮陳參苓芎連
氣血俱熱柴芩芥生地白芍茱

○將行作疼血實也桃紅連胡
○噎行眼腰腹痛鬱滯痰血四物加桃紅莪
延胡熱六加柴芩
○未眼肚痛四物加牡陳延寸
○未后疼氣血虛八物加減服之
○錯經妄行氣之亂也
犯眼微着秋毫
感病重加山岳

淫水去多不能任三補丸加薊龜板

肥人過食之人不調湿痰二朮半苓滑芎芥薊

不通曰

隨胎傷血

多產傷血

久患潮熱銷血

久汗耗血

腸胃不和飲食不進不生血

宜

吐血

補血

除熱

調胃

之劑

血枯經閉四物加桃紅

經不通馬鞭草汁熬膏爲丸紅歸湯送下

一二血瘕

產蓐失於保養
經候失於調適
七情内鬱
六淫外傷
遂致氣凝血滯而成瘕也

二婦如有孕半年發痛爲將產二三日後如故數次

戴人診脈濇而小斷之曰塊病也針塊下愈矣

○桃仁煎治血瘕血積經候不通桃仁（炒）虎硝（另研）

各兩

䗪虫（五分去翅足炒）右爲末米醋二升半熬一升半下大黄等攪稍冷下硝攪候凝丸温酒下下如赤豆汁未下再服鮮紅來則止服

謂氣血榮養之

三同

一傳月經

經閉不通之証先曰心享不足心血虧凝（耗）故乏血次般肝而出納之用已竭

目証

月經全藉腎水施化腎水既乏則經血日次凋（或先　或伯　或淋瀝無收）

慎

肝腎之相火挾心火之勢亦從而相扇所以月水錯經妄行無時而淫溢也不早治至崩中化為白濁白淫血枯發熱勞極不治

心（血不足正氣奪也／火亢甚邪氣盛也）

大抵（經閉不行／經漏不止）初皆由心衰不足致月經不調早不調治直至危難雖扁鵲莫能為

寸脈微而濇（微衛不足／濇榮無餘）

趺陽脈伏水穀不化脾衰濡冒衰腫

先（經斷後病水血分難治／病水後經斷水分易治）

四脉弁

一婦人帶下六極之病脉

浮　腸鳴脹滿
緊　脹滿
數　陰痒痛瘡
弦　陰户掣痛

悪　婦人帶下脉浮悪寒漏下者不治

治　七情傷心氣停結故血閉（調心氣　逼心血）血生而狂行

瘦人子宮無血精氣不聚亦令無子次四物養血養陰等菜（桂枯桂　紅緑）

冥蒙　戒誤　血為氣之配

成塊　氣之凝
将行痛　氣滯
行後痛　氣血之虚
錯狂妄行　氣之乱
紫　氣之熱
黑　熱之甚

皆爲風冷行濕熱禍不旋踵

肥 瘦

婦血病宜用當歸（肥白与參芪 瘦人与芍生地）

帶下濕熱（白氣 赤血）四物加荊芥止血妙藥

二陳加朮（氣虛參芪茯苓 血氣芎芍地芍藥）

宜升

帶下胃痰下滲入膀胱當升二陳加朮升柴

肥人濕海柏南半朮芎芍陳苓生姜

瘦人少有此若有熱也滑芎黛芍生地栢蛤

經曰陰虛陽搏謂之崩

脾胃爲血氣陰陽之根蒂

當
除湿陳参朮生姜
去熱芩門連
柳氏荊芥升

功
益母一名蓷治赤白帶下惡露不止婦人之仙藥也

經水常過期而來者

瘦人是血少四物（地 倍芎）加芪甘防紅花為生血剤用壯

肥人多是氣虛挾痰阻升降四物（地 去）加參芪甘苓半陳蒼朮

例法
經來過來適斷往來寒熱如瘧四物加小柴胡知柏

老婦年五十三血崩久不止諸藥不効予以椶斗蒼甘根

燒存性四物加芎花芷姜煎熱湯調服血止不再行矣

一患曰脾胃虛損下陥於腎與相火相合湿熱下迫經漏

不止其色紫黑如腐之臭中有（白帶脈弦曲／赤帶脈洪数）或腰痛或臍下痛見寒熱腸脹或四肢困熱心胸煩燥宜補脾胃升氣血（朮參芥芎／朴柴生薑）

○丹溪云有（熱々則流通／虛々則下陷）急則治標白芷湯調百草霜甚者棕灰或五靈脂（半生／半炒）酒下蓋五靈（能行／已止）忌人參緩則治本四物加苓連參芪蓯善或加髮灰荊

曰　証

○或
濕痰流注於下焦
曰驚恐陽液下流
思慕而為筋痿
餘注濕熱屈滯於小腹之下

皆為氣血虛損精氣累滯而或其病本一也

又曰思想無窮所願不得意淫於外入房太甚発

為筋痿及為白淫男女皆有之不可所為白帶治

宜察

宜

開結苦楝梔芎青

除湿苓目羌蛤

去熱苓連柏门

散氣散陳生姜穰

林云

吐次提其氣

発中兼補

補中兼利

燥中兼升発

潤中益氣

湿而兼収斂

之例

白葵花治赤白帶下
灸量的腧中摶背後脊中灸七壯即愈
一胎前　傳
五
婦人懷孕心腸之二經上為乳汁下為月水
一月肝脉養之　二月膽脉養之
三月命门脉養之　四月三焦脉養之
五月脾脉養之　六月胃脉養之
七月肺脉養之　八月大腸脉養之
九月胃脉養之　十月膀胱脉養之
至期當養之經或虛實不調則治不安甚則胎落考

月數欲調之則猶不可忘其經之氣血多少

脉 ○脉經曰（心脉動甚者娠子也心主血脉故也 腎脉按之不絶娠子也腎為胞門子戸）

禁 胎產之病毋犯胃氣及上二焦謂之三禁不可 許下 刹陶

○妊婦當絶嗜慾養胎元

宜 ○性：宜靜 不宜躁　○休：宜動 不宜安

禁 ○味：宜涼 不宜熱　○衣：宜湿 不宜寒

母久：立 坐 行 臥

求嗣 ○古傳曰不孝有三無後為大

○古詩曰無官一身輕有子万事足

脈弁 男女 戒

○脈經曰婦人三部脉浮沈正等按之無絶妊娠也

左手沈實男 右手浮大女

左尺偏大男 右尺偏大女

○太陰洪而女孕 肺也 太陽大是男娠 膀胱也

○丹溪曰婦人無子者多由血少不能攝精

俗悉爲子宮虛冷投辛熱藥不施陰

或脈芝不知芝性至熱 入火多則下行 入藥脈則下行 多服則致毒

林曰正副治婦當養血抑氣懲忿

男當益腎生精節慾

懷妊嗜物乃一藏之虛如愛酸物乃肝藏正能養胎而虛也

○惡阻乃有孕而惡心阻其飲食也多從痰治用二陳湯肥人是痰二陳瘦人是熱地芍芎生姜朴門

○治每孕墮未得孕未調服安胎聖藥俗懼芩寒反欲用溫熱殊不知胎回清熱養血

胎動腹痛○曰飲食冷熱動風毒物○曰交合搖動閃節傷犯胞胎候氣不和○脹熱藥太過氣血急脹須氣安胎藥芥芎地术參芩芍縮膠門相干

○胎痛乃血少四物加芍芍為未藕湯下大妙

腰

○腰痛不可忍宜通氣散 陳朴茱芸茄巳

○林玄平常情鬱氣滯而中脘伏痰留飲孕後鍾

胸飲血相搏氣不通逆心胸頭旋眼花肢倦悪

食氣喜鹹酸多臥少起甚則吐逆順氣理痰自安

半生姜 木 実黄芩 積枳门

○因火動胎逆上作喘急用條芩蘇

○胎漏氣虛有熱四物加膠术芩縮砂 芹續苧根

脚腫ハ脚ト 脚身ハ 腫ハ胎水

○胎腫多湿梔炒末米湯調下 参沢桑兵山穣

○胎淋酒色過度或食積水道澁少 参服门通燈

治法 茶

轉胞也

○小便不通

稟受性弱

憂悶多

性急躁

食味厚

皆能致之挙起脬

系得跡氷道自行四物加参朮半陳寸生姜

空心飲之探吐通也

（陳朮）胎瘧栄衛虚脾胃弱或风寒生冷聚致急脹驅邪

（縮苓 藿寸）散莫待吐逆悪食難治僞夏未秋初感风暑納凉

致或清脾湯青朴朮柴甘録苓芩半参门

胎煩心驚膽怯終日煩悶曰二火為之病门芩竹知芩

有娠月夏至未必血盛若栄衛有风則經血喜動

四物加荊芸陳

目證治

娠痢曰 冷物傷脾 辛酸傷胃 冷熱不調胎氣不安血

気凝滞下利赤白後重疼痛宜黄連丸黄芩湯

之類芩朮芍連縮奴門陳葛鹿蛤

娠傷寒々熱往来小柴去半名黄竜湯門葛芍藕貴

娠嗽凡壅多痰心胷満悶蒄貝芍前芩桔甘桑杏知門

胎冷多食生冷感凡涼二陳数滑肢急姜朮陳縮

胎喘脇痛骨節痠疼朴貴朮地甘生姜

胎熱衣煖近火食熱頭疼眩暈腮項腫四物

加荊芸羚羌膏芩門知

胎肥口厭甘肥飽即睡臥行動気急臨産

必難八月可服枳穀散之類芎芍奴甘生姜

未貴麴并婆原

○失音不語無害當十月足後

○墮胎乃熱二者視其輕重而治之

○藥磕傾仆口喋欲絶當婦濃煎湯服深之

不損則痛止子母俱安若胎已損立便下

○江莧馬莧俱墮胎臨産煮服催生

一臨産

患云欲産之婦脉與離經而腰不痛未産

也若腹痛且令扶行或痛或止名弄痛不

可手探試水亦不可屈膝眠卧如脉連腰

法戒　慎七理戒

痛甚即欲產也診其尺脈轉急如切繩轉珠者即產生之脈也脈中如見火光此是兒轉也

又須令扶行須倚物立直至頻々陳痛難以行立乃坐草勿太早恐胎難轉乃胞水先破子道乾澁皆致難產

抱腰之人不可欹斜

一難產

傳云難產富貴奉養之女安逸爵祠之有之貧賤者未有此也

臨月不可洗頭以免橫生逆產

曰。產母甚痛不肯舒伸行動曲腰眠臥故致難產

產母初惜力謂養不可妄用力兒身方轉便用

有令兒錯路須待到產門用力此所當用力也

養。產母不令飢渴致乏力 食粥 飲米飲

力戒。宜禁催生符水

。胞漿既破一二日後不生當服催生藥奈胞內養兒

之水也並百草葵子滑蛻髮灰芎藭雞瞿桂壯

預教。難產皆由產婦不曾聞生育道理講說

曰。兒身旋轉而來須用力一逼遂生橫逆

業。產難數日子死腹中不出母氣欲絕瞿逼

桂膝榆皮　右濃煎頓服能墮胎紅藍花

曰○或（食毒物／脹中菜）傷胎下血不止胎（未損可安／已死即下）牡苔桂

花卷々各等分　右細末蜜丸浚醋湯送下数丸立効浮子大

○難產惡證○身重体熱作寒面黑舌青及舌上冷子

母俱死○面赤舌青母活子死○面青舌赤口沫出母死

子活○脣口俱青吐沫子母俱死不可不審預与其家言之

胞衣不可停待稍久非惟產母疲倦且血流入胞中為

血所脹上衝心喘急痛悶必至危殆宜急斷臍帶次

以物繫墜之尤宜用意拴縛繫後割斷不繫則胞

上掩心而死其血不入胞自萎縮

教

縱延至數日亦不害惟婦心懷舒暢則自下不可妄

用手法致殂草麻雄黃研膏塗右足心下即洗去

灸

胞衣未下灸右脚小指尖頭三壯

橫逆多因坐草太早努力過多兒轉未逮破水其

血氣致橫逆宜白芷百草最因其血脉之如奠得水

預問

○形肥氣虛難產知形肥氣虛久座懶於行走氣不運

故也肥孕五六个月紫蘇飲加補氣藥

噴驗

○盤腸產者臨產則子腸先出產後其腸不收用醋

半盞冷水七分調停噴面每噴一縮三噴收盡良

法也或半夏末搐鼻中即投

奇茉円

○下胞衣又下死胎朴硝末一錢童便熱服

○如聖散臨產服則易產并治胎漏胞乾難產痛劇者黃蜀葵花焙末二錢酒下死胎紅花酒下

八慎戒

一產後胞衣未下粗率之婦搞取破尿脬致終身之害或取下肝葉殞命

本標

○丹溪曰產前當清熱養血為主
產後宜大補氣血為主

右雜證以末治之其病多是血虛不可發表

○產後亡津液胃燥故大便難

○產後亡陰血虛陽氣獨盛故頭汗出

○產後血暈（曰下血多 若係敗血衝心 又虛痰火作暈）宜分治

○產後補虛用參芪朮陳歸芎寸

宜升

微熱加芩連滲類

甚熱加干姜之類 大熱而用干姜何也曰

此熱非有餘之邪熱乃陰虛生內熱耳蓋干姜入

強勉

肺利肺氣入肺引血藥生血必與補陰藥同用之

○此造化之妙非天下至神其孰能與之

○產後惡露多發熱或口眼喎斜等証皆血氣虛甚

當以補氣血爲生切不可用表散劑

左手脉不足 補血藥多於補氣藥 兼腹痛者當去惡血

右手脉不足 補氣藥多於補血藥 若滿腹者非惡血也

○惡露方下忽然斷絶寒熱往來晝輕夜重狂言見鬼此熱入血室小柴胡加生地

○産後敗血乘虚流入四肢面目四肢浮腫作水氣治殺人四物加減血行則腫消

○惡血不盡小腹痛留尖桃仁蘇芎尾桂酒芍生姜

積血刺痛 桃紅芎尾

○産後血暈秤槌及磚石燒紅投醋中薰鼻

新産後禁若菜十日内以芸代苦酸寒之代生姜散之氣

〇悪露不尽小腹痛五旲茰桃仁没主紅藤

〇大便秘涘津液暴竭橘杏丸桃仁紅牡

〇腹脹滿脳吐咜曰悪露下少敗血衆虚散於脾胃

抵聖湯芍半蘭陳參甘生姜

不治 衂

〇鼻墨起鼻衂縁氣消血破栄衛不理虚熱變生此証不治名曰胃绝肺敗

不治

〇喉中氣急而喘曰恶下過多栄血暴竭無所生独聚於肺故喘名孤陽绝陰不可薬救

戒 悪

産後五六日強力下床月重裏房室発怒得病

之初也眼澁口禁肌肉瞤動漸致腰背筋急強
直者不治
産後汗出多而變痓血虚過汗風邪搏之口噤強直
如癎搖頭馬鳴身反折忽氣絶速搐口灌荊芥散
汗出如雨手不及舐不治
○産後霍亂氣血俱傷或飲食不消冷熱不調
上吐不利 渴而飲食者五苓散用苓桂陳 寒多不飲水理中丸夾朴枳生姜
○産後咳喘惡露上攻入肺經 知貝參桑杏者草
○乳母小水短少即是病生須調理 梹枳麥草滑茅
○収生者不謹損破尿脬而致淋瀝 芎芍朮甚陳苓

参芪木煎極飢飲之一月而妥益氣血驟長其肸

自完恐遅難成功

催乳

○通乳汁之劑瞿通柴桔桔芷青芎麺耳肉姜

○治児枕痛芥桂延右末童便下

没牡難紅

○産後陰虚発熱

日間明了四物去芎

夜発寒熱四物加柴

○産後陰痛四物加藁芸

○産母子腸不収八物加升芪芸

○産後中風口目不正八物加附荊加羌芸

一嗣續

宜弁

患云女子經過一日三日陰血胎手精勝血感者男四日六日血脈盛聚精不勝血感者女

或有感而不孕羔男精盛而女血不足男精冷而清女血雖盛無子

有孕而墮者或男貪淫無度女嗜慾性剛故膏梁之婦無藜藿不同也

然女人當補血抑氣以除怒地芥芍芎芐

男子宜節房慾腎以惜精地虵錄

交遘在度陰陽均平則有子矣

肥婦素原又恣酒食謂之軀脂閉子宮宜行度

燥濕而半朮芎芸羌類朴苓芐陳

瘦婦性急子宮乾澁無血不能攝精氣宜涼血滋陰四物加芩芍梔門苳

卜男女合卦法

以父年歲爲上爻以母年歲爲下爻以受胎月爲中爻

九遇一三五七九爲陽屬單

二四六八十爲陰屬折

如得乾坎艮震爲男

巽离坤兌爲女

若筭女成男壽亦不過五六歲矣

○抑氣散氣盛於血所以無子或眩暈怔忡
体疼膈滿皆治陳参神芎炒寸
右細末空心白湯下

一斷孕

△惠云斷孕之說非惡其生亦救非理殞命者也
◎每見婦人生理不順怕產亦有中年多子
而不欲孕往々服毒藥或用外術解胎多
致殞絶反傷其生故録旧方備之○斷孕丸
参炒黑末入水銀三分水調丸茶清下
一方用蚕布紙一尺燒灰醋湯下永不產紅花桂芥尾

淺并牡蠣霜大朴奴陳艾半酒水煎

本草云印紙剪有印処燒灰米服一禾匕

斷産無子　傳

小兒　患

一拭穢法

嬰児有胎中有穢液生下候出声急用泉

軟拭浄然後連ずく煎汁灌く

一剌泡法

初生下テ即死ス急看口中上腭有泡以手指摘

破用綿拭浄便沽血入喉不沽

一回氣法
初生氣欲絶不啼蓋因難産風冈或冒寒所致急綿裹未可斷臍帶且將胞衣置炭火上燒之仍用紙撚蘸油燒臍帶得火氣入臍腹須臾氣回方可俗斷臍帶

一通便法
初生二便不通腹脹欲絶急令婦人熱湯漱口吸咂兒前陰後陰并臍下手足心共七処每処凡三五次漱口吸咂紅赤為度

一點顖法

出胎肥被風鼻塞南星末姜汁調成膏貼
于顖上病去除之

六

一乳哺法

凡初乳先須捏去宿乳每欲寢即奪之啼
未定勿与之乳後不与食哺後不与乳脾
胃怯弱乳食相併難以尅化
幼則成呕而結於腹中作痛
大則成痔成癖成疇成從此始

七

一防微杜漸

小兒難間證察脈耳

蔵府脆嫩而峻（寒/熱）之薬不可軽用

夫孺子在襁褓（內無七情六欲之交戰/外無大風大寒之相侵）矣如是疾繁多与考其証（大半胎毒也/大半傷食）

惟務姑息不能防微杜漸

或未満百晬与鹹酸
或未轂週歳与肥甘
百病由是而生

一護養法

天氣和煖抱之使見風日血氣堅肌肉硬

可耐風寒常令着地氣筋骨壮

若厚衣過煖傷皮膚損血脈発瘡瘍汗出腠理

開风邪易入

○十六歲已前陰氣未成不宜過温飽下体主陰得寒凉則陰易長又腸胃脆而窄奥

戒

一肉麺燒炙稠粘等物宜絶苟務姑息恣欲即与積成痼疾悔何及

九

一小兒弁法

○凡小兒之疾不能自言惟審脉觀形察色听声視手紋詳外證

○変蒸之脉身熱汗不出不欲食々即呕吐者脉乱無苦也

一觀形

○先視其眼無光精不運轉目矇無鋒芒如鼠眼猫眼者不治式神藏於內而外若昏困神氣不脫者無妨

一察色

面目俱青眼睛竄視此驚邪入肝

面紅唇赤惕惕夜啼此入心

面青惡叫噓嫉咬牙入胃

面色淡白喘息氣乏入肺

面黃嘔吐不食虛汗多睡入脾

惡
又腦背面會穴下在二條青脈下對耳尖
而愈青不治

十二
一聽声

弁　惡
聼中鷺啼声　浮者易治　沈者不語難　如鴉中彈不治

一視手紋

○三歲已前有患須看虎口

男次
女指第一節風関　無脈無病　有脈病軽

第二節気関　脈見ハ病重　可莱治

第三節命関　脈見ニ病劇　九死一生

○歌云紫風紅傷寒青驚白色疳
　黑時因中惡黄即困脾端

十四
一審外證

○咬牙甚者発驚。只涎沫叫者蟲病。昏眼善嚏將瘡疹。吐瀉昏睡露睛胃虚熱。吐稠涎咯血肺熱。睡不露睛胃実熱。瀉青白穀不化胃冷。吐瀉乳不化傷食宜下。身熱飲水熱在内。瀉赤黄胃熱毒。呵欠面赤風熱也身熱不飲水熱在外。呵欠面青驚風。呵欠面黄脾虚発驚。呵欠而多睡内熱

十五
一傳歌弁

男擂目左視無声右視有声

○痢疾眉頭皺驚風面頬紅渴

女搐目右視無声左視有声

未唇帯赤　毒熱眼朦朧

先望孩兒眼色青次看脊上冷如氷湯男

搐左無妨宜搐右令人甚可驚女搐右边

猶可治若逢搐左疾難痊

喎針口眼終為寒縱有仙丹也莫痊

○顖門腫起定為風此候應知最是凶忽搐

成坑如盞血足未過七月命須終

○鼻門黑燥渴難禁面黑唇青命莫存肚大

青筋俱惡候更嫌腹有直身紋

十六

一 惡候歌

眼上赤脉下黄瞳仁
顖門腫起兼及作坑
鼻乾黒燥肚大青筋
目多直視覩不轉睛
指甲黒色忽作鴉声
重舌出口嗟齒咬口
鼻口風急啼不作声
蚘虫既出必是死刑
用藥速救十無一生

十七

一児癖目証

小児大寧病有四吐瀉驚癖目有二日飲日燈

治小児菜品与大人同只剤料小耳

小児全敵驚趕急無大大呼是火大発其氣

虚甚敵必死

十八

一臍风撮口

斷臍帯後水湿风冷入於臍流於心脾遂

令肚脹臍腫身体重着四肢柔直日夜啼

叫不能吮乳甚則発為风搐

悪

若臍边青黑及爪甲黑者不治臍中汁出

十九

并病梧亢末或黄栢末付之

一月裏

胎中受驚故未滿月而発驚上視腹硬搐搦手足角弓反張痰壅吞胎驚宜辰砂斫牛黄少許乳汁調抹入口中母服防风通聖散

黄。生黄生下遍体通黄身熱二便不通乳食不進啼不止母受同受湿熱或衣被太煖所致漸減厚錦服生地黄湯子

赤 生亦如丹塗者

先午黄散杞裹

次用藍葉散塗外

乳母服清涼飲子

○鼻塞乳食不下用牙皂草烏葱涎杵成膏貼顖會甚妙

一驚風

○八歲以前真水未旺心火已炎金受制無平木故肝木常有余脾土常不足飢飽失節中氣損傷衣服不調外邪侵襲故急慢驚風作矣

急驚風
屬肝木風邪有余
宜清凉苦寒瀉氣

慢驚風
屬脾土中氣不足宜中和甘温補中

急驚腑陽客痰熱於心肺（升膏葛門荊）

丹溪云屬熱痰宜降火下痰養血（安錄陳地）

東垣云急發壯熱肢搐痰壅面赤口大声大驚而發搐發過如故此無除也

或食生冷由臟腑實有痰肝有風熱而致涼驚丸主之（虎連芸苛芎膽代黑辰梔羌參）

令立神方先瀉火補金大補其土茲參甘

（令考吾傳）甘溫能瀉元氣

（甘溫ヒヒ助元氣 甘ヒヒ瀉 哎）白芍酸寒

酸能瀉肝補肺

寒能瀉火

經曰熱淫于內以苦瀉之以酸收之

△慢驚風臟陰受病無靜乃危以搐不甚搐

○丹溪云頻瀉利將成慢驚白朮散加減

○東垣云面青無熱之氣冷多啼不寢上視

牙緊咬涎或汗多因病後或吐瀉中虛身

冷昏睡露睛於無陽温白丸

○或肢冷吐瀉加嗽面黑唇慘胃痛鴉声口舌白瘡

髮直頭搖喘痰口眼手一边牽引若不治

妙訣○丹溪云脾虛乃為慢驚多死當養脾

△急驚為無陰之證十生一死

慢驚為去陽之証十死一生

急驚痰熱養血菜之煎湯下降火

慢驚脾虛參朮煎湯下安胃丸

急陽々動而速合涼瀉

慢陰々靜而緩合温補

俗

不分以一通治之甚妄

一慢脾風為吐瀉損脾逐風則無風鎮驚則

無驚但脾間虛熱往來眼合脾困氣之神

思昏迷痰涎凝滯而熱

小兒頭雖溫而足冷或

五証忽嫯吐而作搐者名慢脾风補脾益

直湯木芥参苠丁陳朴桂蓮半訶苓

一五瘤大丨肝羊丨心牛丨脾鷄丨肺猪丨

腎也五色丸主之

五瘤童者死病後童死

又有风丨食丨驚丨痰丨飲丨

灸法以帛縳兩手兩足大指甲角𨗳半甲半肉之間

腹脹 眼珠青白 吧 渴 浮 已上

六三
灸二三壯（先足後手）或前髮際顖會神庭
一變蒸有十變五蒸（三十二日一變，六十四日一蒸）長血脉全精神意
智之常候如蚕之有眠竜之脫骨虎之轉爪
丹溪云是胎毒散也
（宜察）骨脉藏府由變全
胎中蘊毒由蒸散也此時看唇口上唇微
腫如卧蚕或有泡子切不可（妄灸／亂治）

六四
一外感痘疹食傷三証之明弁
（三證）傷寒（男／女）面（黄／赤）喘急惛寒口中氣熱呵欠煩
（誤而）悶項急鼻塞

不文治 ○瘖疹腮赤躁多噴嚏悸動昏倦耳肢冷膝中發驚

○傷寒、大便酸息肚腹堅緊乳食不消化宜下

七五 一痰喇治嗽大法（盛即下之，久即補之）量虛實以意加減

○肺盛嗄而後喘面腫身熱浮白散
肺虛哽氣喉中有声久病也（知 陳）

嗽而膿血者肺熱食後寸桔湯

阿膠散（參各 玄貝菀款合量意）

○久嗽者肺亡津液阿膠散補之鵬葦桂合

○嗽而吐青水者百祥丸下之

七六 一嘔吐々乳不止恐脾風白朮散發吐日發驚

而吐乳面青，安神丸

冷吐，益黄散，姜枣煎。○積吐，脾胃傳食不化，尿吐酸臭，益黄散。○熱吐，癰热作渴，發吐，小柴加姜。○交精時喫乳，吐乳眼慢，囊多秘氣，四君子湯

七七

一泄瀉，丹溪云：頻瀉利將成慢驚，白术散。○驚瀉曰驚而瀉，用丹溪方。○積瀉，々物臭秽，腹痛，宜消積。○冷瀉，藏府虛冷，洞泄如水，白术散。○热瀉，口渴溺赤，五心热，益元散。○疳瀉，々如爛泥，肚紧，蟾蜍丸

補脾消食

燥湿利尿，升提陽氣，風藥勝湿

七八

一腹痛，丹溪云：多因邪正交争，藏府相擊而作，有

挾熱挾冷多是飲食所傷

挾熱痛面赤肢煩手足心熱四順清涼加奴青
冷痛面白青冷甚而色變則面黯爪青理中湯

○蚘蟲腹痛宜詳證治

腹痛而脹不宜宣利榮宜消導之

七九

一丹毒赤腫身熱熱由風熱毒在於腠理搏於血

發於外皮熱而赤如丹塗如治不得性

肌爛毒氣入腹則殺以藍青散 如 鹿角シ末水付

○赤瘤熱毒蘊結肉間發皮膚赤如瘤許學士云十

種丹毒三日不和攻入腸胃則不治

八〇

一諸汗發熱自汗虛煩人參黃芪散○盜汗睡而汗

出肌肉虛止汗散。胃虛項下至臍益黃散

六陽虛汗虛上至頭下不過胸不須治

一瘧風暑之邪宜發散然後扶持胃氣為本

又須分陰分陽分而用藥

邪瘧及新發者可散可截

虛瘧久者宜補氣血

過截傷脾胃則綿延不已柴中朮中葛中陳小甘少

隨証加減於後

若一日一夜午前邪在陽分加芩芩半熱甚頭疼加

口渴加膏知門　芎膏

若間日或三日一發午後夜發邪入陰分加四物知妙紅升酒栢提起陽分截之

○間日連發二日或日夜各發氣血俱虛加參苓補氣四物以補血

○陽瘧多汗用參朮芪以斂之無汗柴二朮芩葛以發之

○陰瘧多汗芥芍地芪栢以斂之無汗柴朮芎紅升以發之

故曰有汗要無汗扶正無汗要有汗散邪為主

○若胃弱或截傷中食ヲ加参酒芍芽ソ

○食傷痞悶或食積加麴蘗芽連

○有痰加半芍实芩連

○若欲截之加柴常青芩各一ト烏梅肉ケ三

○若日久虛瘧寒熱不多或無汗而但微熱者邪氣

已去只用八物加柴芩茯陳而滋補血氣

○瘧後變成痢從虛治用補脾胃茱萸陳芩連

芍术各一ト木半ト芍二ト生姜水煎服

六二 小兒雜證

○噎逆或過乳 凡傷或啼叫未定与乳乳与氣相

逆紫蘇飲

痢疾逆積解熱月大人

霍乱与大人同宜詳証来後冊 通三集 分陰陽

冒氣已衰四君加陳

浮腫而小便不通五苓

外腎浮由啼叫怒氣閉擊于下海蛤散

鵝口初生舌上或鼻外白如米屑不亂先

用髮纏指蘸井花水拭之吹黄冊 煆出 大毒 付

重舌重腭重齦心脾熱皆刺去血蒲黄或枯礬付

解顱毋氣虛与熱四君四物加連煎服

○手足極細頸小骨高尻削体羸腑突胸陷啼呼
鷇癖名丁奚虛熱往来頭骨分開及食吐氣煩渴
哯㘅名哺露三若最難治十全冊
○脫囊腫大墜下不收用紫蘇莖葉為末水
調付荷葉包之
○臍中汗出痛梔瓦或栢末付之伏竜肝末傳之
○夜啼燈草燒灰塗乳与之
○耳後月蝕瘡連梔瓦末付之
○白禿瘡先剃頭去瘡痂死血出盡何水洗
候乾輕粉膩粉付

文連咨梁塵未付

一方治白禿及鬢中癬能脂付之

治諸風癮疹瘙痒不止

蒼耳端午七夕花子葉爲末豆淋酒調服二寸

治三蟲腸痔心腹脹悶進食七日後体禀

蟻此風毒出也

鶴膝風一云不歠不臂，腿二捜似芦柴膝蓋腫大行走不得

衄血咯血吐血竟骨末豆許吹鼻立止

一疳證傳惠

數食肥令人内熱，甘令人中滿，病曰肥甘，故名曰疳

○因恣食肥甘及生冷果蓏寡飢漸成積滯
○證身熱体瘦面黄肚大青筋虫痛浮利
曰
○或飲乳粥飲太早耗傷形氣延及歳月五府病成
○五府惟胃府為害最速蓋稟受不足胃虛受邪
熱氣奔上焦郁作口氣次牙齒黒甚斷爛熱血
迸出齒牙脫落宜急治
○肝府膜遮睛搖頭汗流腦熱合面卧筋青
發之肉黄瘦地山茱蕷沢牡苓
○心府面黄赤身熱臉赤煩滿口瘡虛驚悶
連砂苓蕷寒水石甘辰腦沓竹葉蓋

脾疳体黄大食生氣廉利下酸臭陳青寸訶丁

肺疳氣喘口鼻生瘡咳寒熱揉鼻咬甲苓
前桑芥門芸苓桔地寸

腎疳身瘡肌瘦頭勢足冷寒勢服作生地
沢蕷山茱牡苓

內疳目腫服脹利色無常削瘦浮汗此冷
證也木丁朴史陳蔻

外疳鼻爛揉鼻瘡不結痂耳瘡此勢証也
大便澁連胡連辰苓君代黑蚕

筋疳澁血而瘦
骨疳喜而卧苓　地黄丸同胃疳之剤

○鼻下爛銅青輕粉末付之連丸栢

○脊疳愛食脊瘠身熱下利瘦咳指甲大芦

薈丸蘆薈蕪木使君檳連胡連蟬蛻麝

○蚘疳食肉太早腸胃蓄肥膩多啼吐水腹滿痛

唇黑腸頭及齒蝕痒楝木桃蕪檳鶴虱蘆薈史

●瘰癧乳哺失節或喫（糯米　生冷　果蔬）脾胃微弱腹內結硬寒熱

如瘧漸致羸瘦蓬莪稜益寸青陳朴

屎白乳母失節脾傷便瀉白色而成疳稜

木香縮苓莪陳滑寸青

客忤小兒神氣微弱邪氣卒忤吐沫喘息

腹痛瘈瘲狀似癇但眼不正竄睛偏有泡即以
竹針刺藿香円薑湯化開頻与
然疳炭食肌膚空壁疳熱流注遍身熱瘡
發渴多已黄連丸蟾酥丸間服蘆胡連膠木史蕪陳様
疳瘡自發提至成童潮熱發瘡乃疳氣使
疳瘡烏賊骨末白芨末輕粉細研付
一瘡疹　傳患
瘡疹出於心肝脾肺而腎無留邪者吉
多皈童脾肺（脾肺）主（肌肉皮毛）故遍身班爛
列張陳氏多用（涼溫）藥專門不通者偏用之殺人

○丹溪云

證多而難弁

始發之時有
曰傷風偏寒而得
時氣傳染而得
曰傷食嘔吐而得
曰跌撲驚恐蓄血而得
者

○或爲竄眼噤牙驚搐如风證

○口舌咽喉腹肚痛疼。或煩躁狂悶昏睡。或自汗。

○或下痢。或發熱。或不發熱證候多端卒未易弁。

○惟收耳冷尻冷驗之蓋痘疹屬陽腎藏無証耳尻足俱屬腎故独冷不若視耳後有紅脉赤縷爲真

調護之法首尾俱不汗下但温

治兼済　解毒（荔荊大力）　和中（白朮參芍）　存表（朱葛陳）　而已

○凢勢不可驟遏但輕解之若無勢則瘡文

不能発也

○又云瘡疹分人清濁就形氣上取勇怯

○又云春夏為順秋冬為逆　又云分氣血虚用補

○瘡疹雖似傷寒而実異　傷寒從表出裏　瘡疹從裏出表

○未出身冷耳鼻尖冷久嗽面赤方出瘡之候外

葛査寸大力其出必疎而易愈
但見紅点便忌升葛恐虚表
初起自汗必湿熱裏蒸而然也
初起煩躁諸渇剤欲若与水則後釃不肯去桂五苓散
欲出未出因発播者外感風寒而内発心熱惺々散
宜発越不宜壅滞
宜紅活凸綻不宜紫黒陷伏
吐瀉不能食裏虚　不吐瀉能食裡實
灰白色陷頂多汗表虚
紅活凸綻無汗表實

裡實則岀快而輊　裡虛則發遲而重

裏實而補則結壅毒

表實而用實表茉潰爛不痂

表實

裏虛

陷伏倒靨

裡實

表虛

發慢收遲諸痛痒爲實虛

喻

○痘疹發肌肉陽明胃氣主之脾土一温胃氣

隨暢無陷伏之患如𤵜人養蕅之法

○妄汗則榮衛虛開泄瘡爛邪䓍閒變証多

○妄下則內氣虛毒不出能而反入由是土不勝水

變黑歸腎振寒耳尻及熱目合肚脹癢陷十無一生

○痘初出未出取辰末（半 分）蜜水調服（多者可[illegible] 少者可無）

○若胷前稠密消毒飲加芩紫

○初出痘白補氣血參朮芪芎升葛芍紅

○痘稠密甚犀角地黃湯（黑者血熱宜涼血 白者氣虛宜補氣）

○表虛不起發燒人屎黑陷甚燒人屎（蜜水調服）

○咽痛鼠粘子湯（牛蒡子之入方也）

○痘癢須分氣血虛（氣虛參朮 血虛四物）加解毒藥酒炒芩連

○癢（氣退火荊芥升葛 涸浮濕芷芸）

大便秘宜利大便
小便秘宜通小便

小便赤澁生地门冬茴通瞿麥若紫
大便秘結内煩外熱小柴胡加叔

○二便一有秘結則腸胃壅遏人（脉結 氣滯）毒氣無從
泄目閉声吧ア肌肉初黑黑不旋踵而変

○壊瘡三證
一内虚泄瀉
二外傷风寒
三変黑帰腎

運氣寒冰
服值嚴冬 氣辟瘡不發赴敵辛散之劑製用令（今）
人不分服令不考運氣誤人多矣

○痘契爵於内而不得発故手散二三服而開之陥伏灰白者皆翕然紅活凸綻内無遺邪如逸劑時增黑爛咽閉声沈死

○瘖
出声不変形病
未出声変形病
出声不出形気倶病
也
倍芪声不出倍吉

○肺気不足三證
自汗
瘖須陥塌
不綻肥
芪参芎桔芎芸芷甘

○心血不足三證
灰白色
根窠不紅
不光澤
芎芹煎服

○一発便密如針頭蚕種稠密無縫七孔面目心背皆

有極重合輕其表而凉上連翹升麻湯

○瘡出四五日大小不齊紅活而血疱光沢明瑩者不須服薬

○表裡俱實瘡難出易靨

○表裡俱虚瘡易出難靨

○服嚴寒不能起発散寒温表

○盛暑煩渴昏迷瘡出不快辰砂五苓散　地門葉汁服

○凉茶損中或胃虚吐利理中湯温中益氣

○外实膚厚内寒毒氣難発泄因出不快宜升紫草大便実加梔皃

○身体（温寒）（腠涼）（順逆）（能不）食大便（実利）（順逆）

△外證輕重

三次出耳中無大小不一根窠紅頭面少々

肥満沢次上輕一斉出渇而浮如春種身

温腹脹灰白色頭温足冷次上重

△不药六證

痘脚稀少根窠紅綻不浮不渇乳食不減

四肢温和身無大熱

○調解之法活血調氣安表和中輕清消毒

（温涼）之劑二者得兼而已（温如芎芷朮）（涼如前葛升）佐以芎苔

奴桔差通梔甘則調適矣

惡證

△逆候瘡正出而吐利者困。已出譫惡候。便血乳食不化脾虛已死。浮血瘡爛無膿不治。二便秘目閉声啞肌黑死。遍身黑陷目閉無魂死。面色青黑死。瘡陷發驚危。面鼻黑氣不治。燥渴尿澁泄瀉不食危。頭面腫瘡尽抓破鼻爛不可近或足冷至膝不治。面腫鼻陷目閉咬牙不治。痘黑焦凡攻頸唇項腫硬或背膊高突不治。身温腹脹咬牙喘渴難治癢塌寒戰咬牙渴甚不治痘紫黑喘渴不寧不治灰白色

二疹　痒

陥頂腹脹不治　頭温足冷悶乱飲水不治　氣促

浮渇不治

陰陽二疹

赤疹陽遏清凉而消

白疹陰遏温暖而減

虚
實　痒

實表剤加凉血薬

如大便不通大黄下結粿

欲已靨之間不食腹脹煩渇忌蜜水　木香散佳

○痘黒陥青紫者百祥丸下之　大戟草用　瀉腎水　不

黒者謹勿下

○下後
身熱氣温欲飲水可治　知脾土強ナリ
氷表不清或寒戦為逆

瀉後溫脾參苓朴木方為妙

○四五日不大便宜藏府潤滑瘡痂易落勿妄下六七日

壯勢不大便煩劇脈緊盛微利之柔虎

册溪云大便結内煩外勢小柴加奴門梔黍

○將成就而色淡宜助血茶芎归為紅

色紫宜凉血解毒茶芩連升麴葛

○解毒絲瓜升麻可擇酒芍黑豆赤小豆

○十二三日瘡痂已落其瘢猶黑或凹凸肌肉尚嫩

不可洗浴亦忌臭惇有毒之物恐熱毒攻眼

○當靨痂欲落之眼不靨為逆身勢着稍利

之次傷餘毒身不熱或腹脹或浮異功散
痂欲落々後無他證壯熱經日不除亦無
害柴胡門冬散
○身熱大渴腹脹浮氣急寒戰咬牙飲水不已即
非熱脾胃肌肉虛津液衰少故也　木香散
○靨後二便利下黃黑則毒氣已減不必用藥一或
閉塞則脾胃壅塞脈結凝滯毒無從而浮腫
閉声啞肌黑不旋踵而告變宜消息
○瘡後餘毒不解入胃便血日夜無度後痛啼哭
宜午黃散又渾身壯熱下痢黃赤膿血胃風湯

小便赤而煩導赤散

○痘疹入目蓋心熱毒生肝風肝主目熱毒衝之涼肝丸 膽虎荇芸梔羌芎 秦皮散洗 連滑銅青

一方浮萍陰乾末食後溫湯服二錢 痘瘡成翳大黃散服之

○赤脉侵睛者羚羊角丸

○痘瘡者毒氣當出而不得出流於腎經則痘瘡發四肢手腕膝臏腫痛頭項背脹赤腫宜消毒飲 芸荊寸大力

○赤成膿者小柴加減 七ヲ

○瘡後発搔是餘毒未解熱積停蘊不能散
散動肝风而発
搔 散熱 退风 而已 柴芩防 芸荊苛
○痘瘡大盛膿水出不可着席不可轉倒
○痛者黄土末付之便乾或以麦麸掺席
毒氣流大腸則便膿血或下腸垢或大便
結宜犀角地黄湯
○痘後癰毒不同出処何經紅腫用黒豪赤
三豆以醋浸研漿敷々以鵝領刷之随手
退手去其効如神

乳嬰兼治乳母請和氣血節調飲食次通
氣調榮之劑釀其乳瘡心絡胞滿無陷伏
童幼切脉審表裡虛實汗下之不實不虛
但保其中和脾氣流暢則肺金籍毋之助
速於成痂無倒塌之患
壯盛而膚腠厚密尤須預為汗解
大便結
小便澁
者宜利之
姙婦發瘡疹八物减地黄加紫葛桔芩芸
陳荊奴紫膠芷縮糯煎服

〇一方八物去地加陳皮縮砂紫糯煎服

身熱甚參蘇飲

〇懷胎已五个月則不禁半夏桂心

痘疹後再作瘡疹者亦餘毒未尽也宜下

解利之得手安

〈略記詳解

一書籍

惠　惠濟方　王永輔輯

傳　医学正傳　虞天民編

經　内經　素問

微義　王機微義　刘宗原　徐彦純

林　医林集要　王璽編

千金　千金方　孫真人着

四要　山居四要

針疑

傷寒論

活人書

本草

雜着

三因　三因方　陳無擇編

靈樞　鍼經

難經　八十一難經　秦越人述

病源　病源論　巢元方撰

機要

脉經　王氏脉經　叔和集

○藥劑

參　人參　茋　黄茋　朮　白朮

苓　苓茯　芹　當帰　地　地黄

陳　陳皮　半　半夏　南　天南星

紅 紅花 蘱 紫蘱 芸 防风

虎 大黄 知 知母 栢 黄蘗

目 椒目 麻 庥黄 朴 厚朴

艽 秦艽 乌 乌頭 椒 蜀椒

瓜 木瓜 五 五加皮 通 木通

牡 牡丹 亀 亀甲 莎 香附

桃 桃仁 茅 茅根 乳 乳香

棗 熟棘 附 附子 門 麦門冬

玄 五味子 萸 山茱 膽 竜膽

黛 青黛 錄 地骨皮 尿 人溺

蔞 瓜蔞仁　奴 枳殼　眷 明瓜

杷 枇杷葉　鵬 蓬砂　曲 神麯

梅 烏梅　桑 桑白皮　合 合歡皮

蛤 蛤粉　竹 竹葉　腹 大腹皮

良 良香　沒 沒葉　漆 乾漆

策 馬鞭　寄 桑寄生　蓋 天靈蓋

戟 巴戟　葵 冬葵子　燈 灯草

蛇 蛇麥　神 茯神　帶 瓜帶

鶴 鶴虱　史 史君子　錫 粉錫

查 山查子　榛 橘榛　天 天門冬

賊　木賊　竜　竜骨　牛　大力子

巴　巴豆　薈　戸薈　貝　貝母

忍　忍冬　炉　炉甘石　穿　山川甲

端　血端　苦　苦参　蓷　益母

貴　陳皮　蛻　蛇蛻

診察辨證

撮収正傳東厓匯林之至要而或弁陰陽表裡或察虛實寒熱或別血氣盛衰或分貧賤苦樂或異上下左右區老少男女或明吉凶順逆而即先賢擬業次墨記之年來予親用而每効配劑次藍記之治病用業之服欲便姪孫一覽如指掌而已

旹元亀第二辛未年冬日南至卆五齡老眼寒窓

日東洛下雖知苦齋盍静翁道三

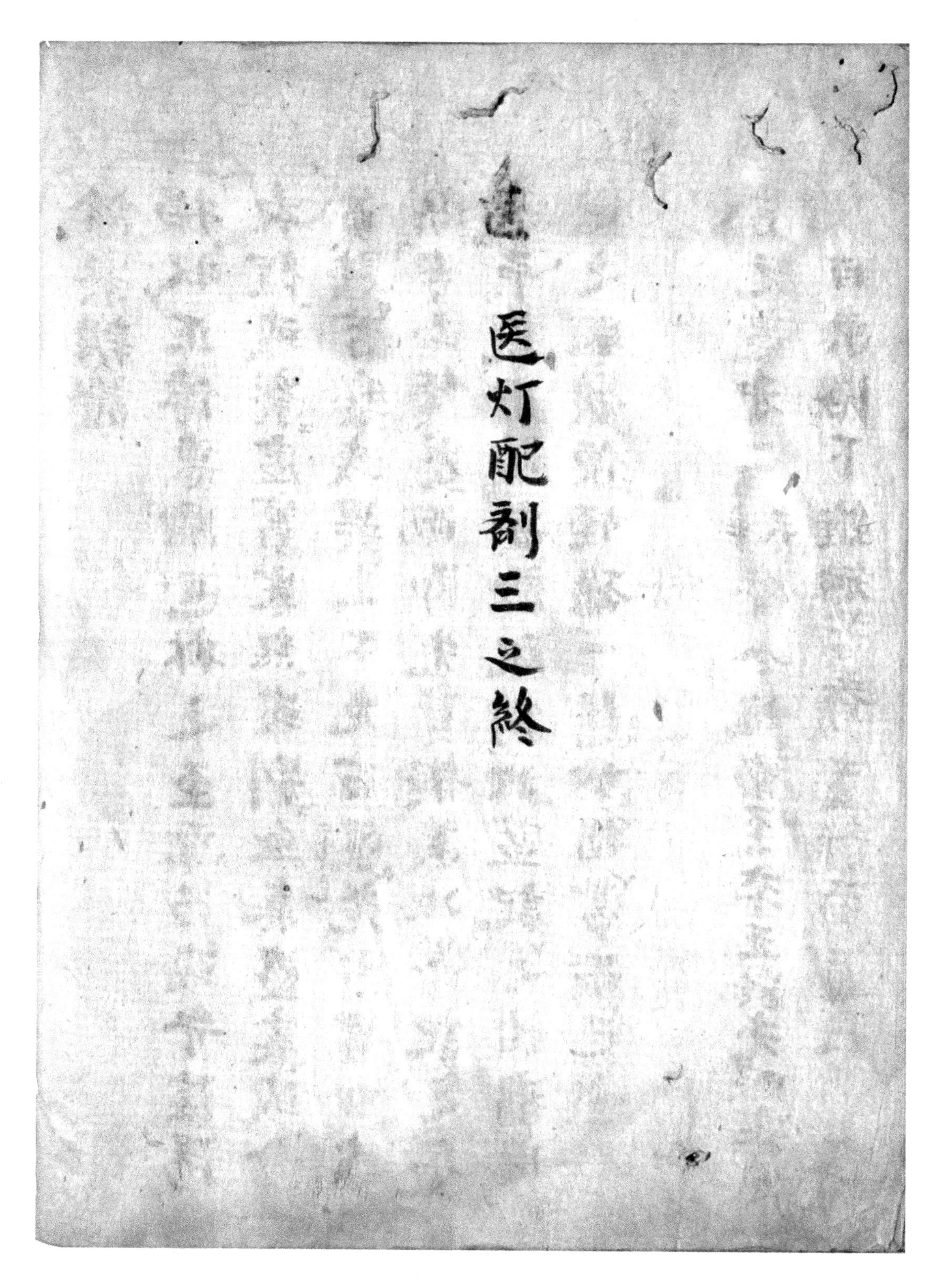
医灯配剤三之終

辰
3
51

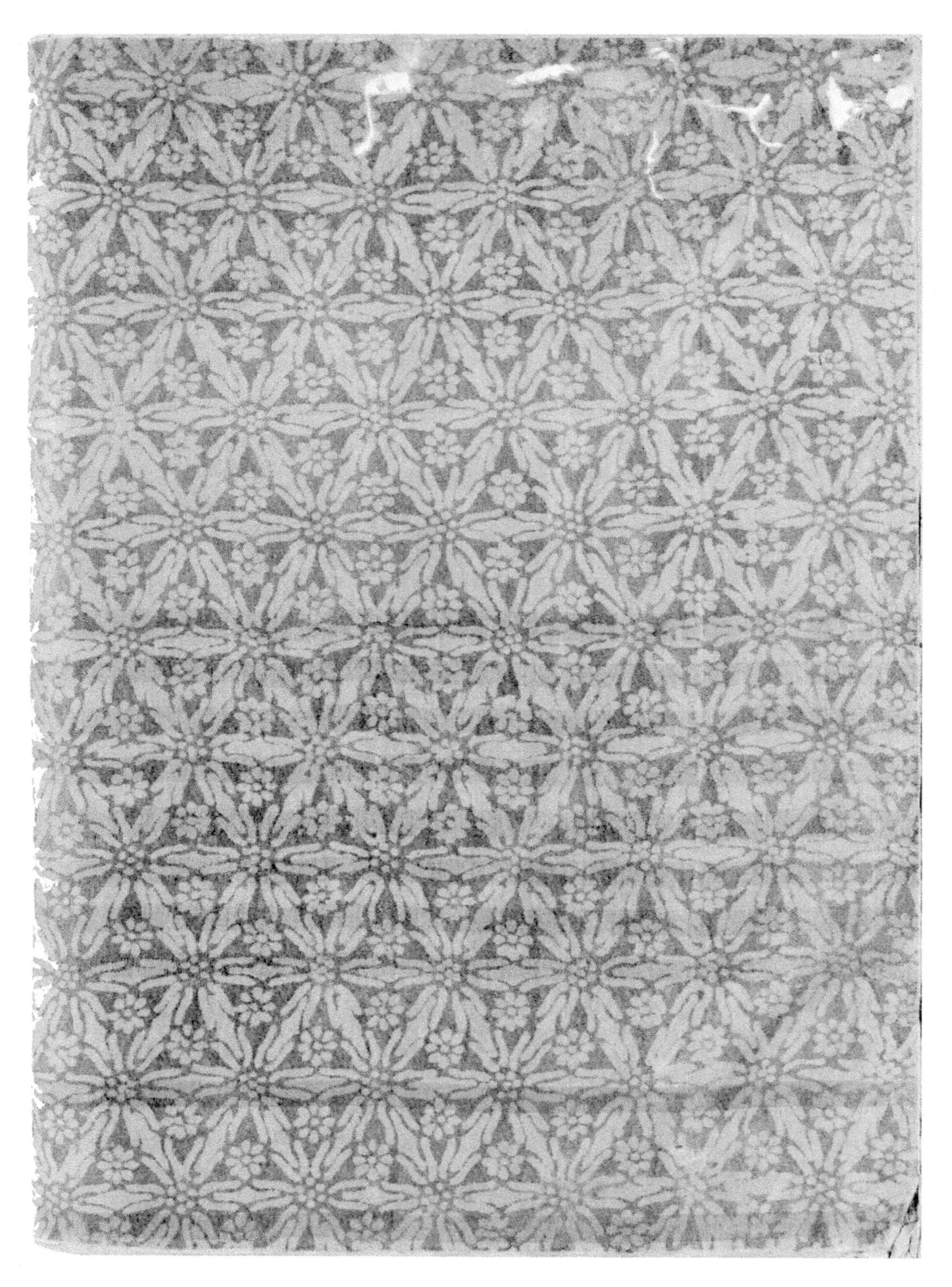

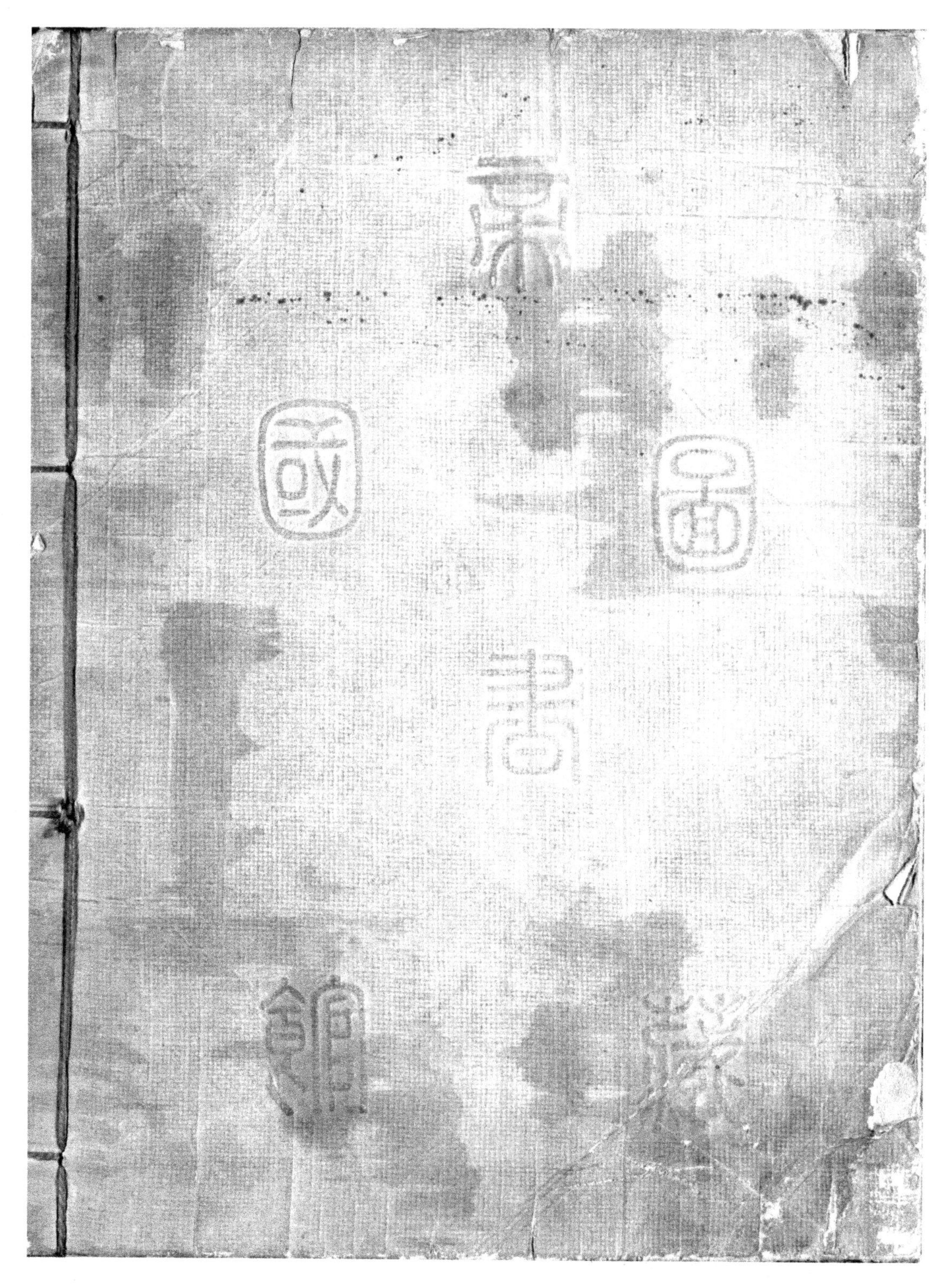

海外漢文古醫籍精選叢書·第二輯

雜病提綱

(朝)佚名氏　撰

内容提要

《雜病提綱》不分卷，一册，撰者佚名，成書年代不詳。此書依次記載雜病提綱、疾病分類、疾病治方，層次分明，内容系統。書中内容大多源於《醫學入門》《東醫寶鑑》，具有較高的臨床參考價值。

一 作者與成書

《雜病提綱》目前僅見一部鈔本，書中未署作者姓氏，他處亦未能檢索到著者相關信息。書皮題「雜病提綱」，但其實爲本書第一部分内容的標題，全書還包括雜病的分類和治方等其他内容。《雜病提綱》大量引用《醫學入門》《東醫寶鑑》的内容。《醫學入門》，中國明代李梴編著，刊於明萬曆三年（一五七五）；《東醫寶鑑》，李氏朝鮮時期許浚著，刊行於光海君五年（一六一三）。故推斷《雜病提綱》當成書於一六一三年之後。日本學者真柳誠推測本書可能爲十八至十九世紀筆寫完成。❶

❶ （日）真柳誠．韓國國立中央圖書館の古醫籍書誌（三）［J］．人文コミュニケーション学科論集，二〇一六：（二十一）一二一．

二 主要内容

《雜病提綱》全書主要介紹雜病提綱、疾病分類和疾病治方三方面的内容。書首前半葉載明代萬曆年間武官李大年等二人的傳記，内容與醫無涉；後半葉前兩行載「夫神者人之主，將寐在脾，熟寐在腎，將寤肝膽，正寤在心」，此句出自宋代邵庸《皇極經世書》卷第十二之下，自第三行起爲雜病提綱。

雜病提綱，分外感、内傷兩方面記述雜病。外感雜病包括風、寒、暑、濕、燥、火六類，内傷雜病分調理脾胃、氣、血、痰、鬱、積熱、諸虚、沉寒痼冷八類。每類雜病下首先列舉其涵蓋的具體病證，然後以七言歌訣形式簡述該類疾病的證治要點。如寒類，「寒：咳嗽，霍亂，心脾痛，腹痛。中寒無汗肢僵僕，急分三因暖下元，感冒尋常和表裏，内傷補益加辛温」。

疾病分類，主要記述雜病、傷寒、婦人門三大類八十餘種疾病的病因、診斷、治則治法和預後。雜病類内容承接雜病提綱，分外感、内傷兩方面記載六十八種雜病證治。其中，外感雜病三十六種，分别爲風類十二種（頭眩、頭痛、頭風、面風、眼、耳、鼻、口舌唇、牙齒、痛風、痹風、斑疹），寒類四種（咳嗽、霍亂、心痛、腹痛），暑類二種（瘧、痢），濕類十種（痞滿、泄瀉、吞酸、黄疸、水腫、鼓脹、赤白濁、腰痛、疝氣、脚氣），燥類二種（消渴、燥結），火類六種（脅痛、夢遺、淋、小便不通、小便不禁、脱肛）；内傷雜病三十二種，包括傷食、積聚、蠱瘴各一種，氣類一種（氣滯），血類六種（吐血、嘔血、衄血、咳唾咯血、溺血、便血），痰類十四種（喘、哮、惡心、嘈雜、噯氣、嘔吐、呃逆、膈噎、關格、痓、癇、癲狂、驚悸怔忡健忘、咽喉），虚類八種（發熱、汗、痿、厥、癆瘵、諸蟲、求嗣、養老）。此部分以七言歌訣形式記述，個別疾病下附少量注釋文字。如内傷痰類哮病，「哮：痰喘甚而常發者也。喘促喉中痰作聲，吐法必須量體行。挾水挾寒須帶表，斷根扶正金宜清」。傷寒類，記載六經正病、表裏陰陽汗吐下温解五法、正傷寒、類傷寒、傷寒初證、傷寒雜證、傳陽變陰、瘥危死證及婦人傷寒八部分内容。婦人門，以七言歌訣形式記述婦産科經候、崩漏、帶下、癥瘕、産後、産前、胎前等七類疾病證治。婦人門前載孕婦藥禁歌訣。

疾病治方，爲本書重點論述的内容，約占全書篇幅的四分之三，主要記載治療四十九類三百餘種疾病的五百八十餘首方劑，包括風門三十九方，寒門九十六方，暑門二十方，火門十八方，内傷十八方，虚勞八方，霍亂二方，嘔吐八方，咳嗽十一方，積聚七方，浮腫五方，脹滿七方，消渴六方，黄疸四方，精四方，氣十二方，神十九方，血十七方，聲音三方，津液三方，痰飲二十方，頭十三方，面四方，眼十方，耳五方，鼻四方，口五方，咽喉四方，頸項二方，背四方，胸十一方，乳六方，腹五方，腰二方，脅六方，皮十方，肉一方，足八方，前陰六方，後陰二方，小便十二方，大便十六方，胞十五方，婦人七十四方，小兒七方，補遺四方，急救四方，杖傷五方，骨折筋斷傷十六方。所載醫方的内容主要包括其主治病證、藥物組成、劑量、煎服法等。如神類，「癲狂，當歸承氣湯，大黄、當歸各一兩，芒硝七錢，甘草五錢。右剉，每一兩，薑五、棗十，水一碗，煎至半，去渣温服」。此外，在疾病治方的補遺方之後、急救方之前，記載了風升生、熱浮長、濕化成、燥降收、寒沉藏，十二臟腑用藥例，六十年客氣旁通圖等内容。

綜觀全書，首先雜病提綱從外感、内傷兩方面概述各類雜病的證治要點，其後疾病分類記述雜病、傷寒、婦人門三大類具體疾病的證治方法，最後重點列述治療四十九類三百餘種疾病的治方五百八十餘首，其理法方藥俱備，内容豐富，自成體系，臨床參考價值較高。

三 特色與價值

經筆者考證，在《雜病提綱》一書中，雜病提綱、疾病分類兩項内容主要引自明代李梴《醫學入門》，而疾病治方則主要摘自李氏朝鮮許浚《東醫寶鑑》。《雜病提綱》作者非常注重臨床實用性，綜合《醫學入門》《東醫寶鑑》兩書的優勢，再加上個人的補充，最終編成《雜病提綱》一書。

《醫學入門》爲明代醫家李梴以劉純《醫經小學》爲藍本，類集明以前各科實用醫書，并參以個人見解編撰而成。書中正文多以歌賦形式記述，下附注文補充説明，論述通俗易懂，歌訣便於記誦。全書正文七卷，卷首一卷。卷一記載經絡、臟腑、診法、針灸，卷二專門記述本草，卷三至卷七載録内、外、婦、兒各科疾病證治。其中，卷三包括温暑、傷寒、内傷三類疾病，卷四爲雜病提綱、雜病分類，卷五爲婦人門、小兒門、外科疾病證治，卷六、卷七爲用藥賦。

《東醫寶鑑》，全書共五篇計二十五卷，分别爲「目録」二卷，「内景篇」「外形篇」各四卷，「雜病篇」十一卷，「湯液篇」三卷，「針灸篇」一卷。「内景篇」包括身形、精、氣、神、血、夢、聲音、言語、津液、痰飲、五臟六腑、肝臟、心臟、脾臟、肺臟、腎臟、膽腑、胃腑、小腸腑、大腸腑、膀胱腑、三焦腑、胞、蟲、小便、大便二十六個章節；「外形篇」包括頭、面、眼、耳、鼻、口舌、牙齒、咽喉、頸項、背、胸、乳、腹、臍、腰、脅、皮、肉、脉、筋、骨、手、足、毛髮、前陰、後陰二十六個章節；「雜病篇」包括天地運氣、審病、辨證、診脉、用藥、吐、汗、下、風、寒上、寒下、暑、濕、燥、火、内傷、虚勞、霍亂、嘔吐、咳嗽、積聚、浮腫、脹滿、消渴、黄疸、痎瘧、瘟疫、邪祟、癰疽上、癰疽下、諸瘡、諸傷、解毒、救急、怪疾、雜方、婦人、小兒三十八個章節。

筆者將《雜病提綱》與《醫學入門》《東醫寶鑑》相應内容逐一比對，得出如下結論。

第一，在《雜病提綱》一書中，其雜病提綱部分全文引自《醫學入門》卷四「雜病提綱」；疾病分類中的雜病類全部出自《醫學入門》卷四「雜病分類」，傷寒類、婦人門則分别源於《醫學入門》卷三「傷寒」和卷五「婦人門」。上述内容僅摘録《醫學入門》正文的歌訣，不録注文。本書載録《醫學入門》的「雜病提綱」「雜病分類」的全部歌訣，但在援引「傷寒」「婦人門」歌訣時則有所删減。如《醫學入門》「婦人門」記載經候、崩漏、帶下、癥瘕、胎前、臨産、産後七節，而本書删去了其中的臨産一節，將胎前一節析分爲産前、胎前二項，且删除了其中的部分歌訣。

第二，《雜病提綱》中的疾病治方參考沿用《東醫寶鑑》的體例，但著述順序有所改變。《東醫寶鑑》以「内景篇」「外形篇」「雜病篇」爲序，《雜病提綱》引用時大致以雜病篇、内景篇、外形篇爲序。不過，《雜病提綱》并未抄録《東醫寶鑑》全部治方，而是精選其中臨床實用的常用治方，且語言表達也更加精煉。本書所載疾病治方，約百分之六十源自《東醫寶鑑》，其餘治方爲著者增補，多爲日常經驗用方，如白虎湯、補中益氣湯、四物湯、人參敗毒散、二陳湯、平胃散等，多爲醫者耳熟能詳的名方。

第三，《雜病提綱》還摘録了少量《東醫寶鑑·湯液篇·湯液序例》的内容。例如，風升生，「味之薄者，陰中之陽也，味薄則通。防風、升麻、羌活、柴胡……薄荷、前胡《東垣》[1]；小腸用藥例，「温用巴戟、茴香、烏藥、益智，……瀉用葱白、蘇子、續隨子、大黄」[2]。

《雜病提綱》作者編撰此書時，不僅增入大量日常經驗用方，而且對引用内容也做了精心篩選和巧妙編排。例如，雜病提綱部分在各個疾病分類下列出其包含的具體疾病名稱，與之後疾病分類中記載的具體疾病前後呼應。又如，「孕婦藥禁」歌訣載：「芫班水蛭及虻蟲，烏頭附子與天雄……硇砂乾漆與桃仁，地膽茅根莫用好。牛黄龍腦金銀箔，蒜葵鬼神犀大黄。」前六句引自明代虞摶《醫學正傳》卷六「婦人科胎前」，最後一句則爲《雜病提綱》作者增補。《東醫寶鑑・雜病篇・婦人・藥物禁忌》載：「歌曰：芫芫青斑斑猫水蛭及虻蟲……地膽茅根莫用好。《正傳》。又忌躑躅花、螻蛄、牛黄、藜蘆、金箔、銀箔、胡粉、蜥蜴、飛生、蟬殼、龍腦、猬皮、鬼箭羽、樗鷄、馬刀、衣魚、大蒜、神麯、葵子、犀角、大黄。《局方》。」[3]由上推測，《雜病提綱》作者所編最後一句歌訣，可能是取材於《東醫寶鑑》轉引《太平惠民和劑局方》的十味藥物。

李梴《醫學入門》在卷四提出：「雜病者，或兼外感風、寒、暑、濕、燥、火之氣，或挾内傷宿食、氣、血、痰、鬱、虛、實之情……所以提之於前，以見其爲百病大綱，其餘症皆由此變出。」[4]故依次記載「雜病提綱」「雜病分類」和「雜病用藥賦」。《雜病提綱》一書首先轉引《醫學入門》卷四「雜病提綱」，然後

---

[1] (朝)許浚.東醫寶鑑[M].韓國首爾大學奎章閣藏明萬曆四十一年癸丑(一六一三)朝鮮内醫院刻本,(湯液篇卷之一)八.

[2] (朝)許浚.東醫寶鑑[M].韓國首爾大學奎章閣藏明萬曆四十一年癸丑(一六一三)朝鮮内醫院刻本,(湯液篇卷之一)九—十.

[3] (朝)許浚.東醫寶鑑[M].韓國首爾大學奎章閣藏明萬曆四十一年癸丑(一六一三)朝鮮内醫院刻本,(雜病篇卷之十)十二.

[4] (明)李梴.醫學入門[M].日本早稻田大學圖書館藏清嘉慶二十一年丙子(一八一六)重鎸本.(卷四)二二.

節録該書同卷「雜病分類」及卷三「傷寒」、卷五「婦人門」，最後附以疾病治方。這樣的編撰體例與《醫學入門》體例大致相仿，很有可能是受到李梴編著《醫學入門》思路的啓發。

儘管《雜病提綱》一書的內容主要源於《醫學入門》《東醫寶鑑》兩部醫書，但全書編排巧妙，自成體系。書中首先羅列各類疾病的名稱、證治要領，其次記述各類具體病證的證治方法，最後列述相應的治療醫方。從病名和原則要領到證治方法，再到主治醫方，環環相扣。現以暑病為例論述。首先，在雜病提綱提出暑類疾病包含的病名及證治要領，云：「暑：瘧，痢。暑熱汗渴審實虛，陰陽經絡最難拘；中傷冒伏分輕重，暑風暑厥又何如？痰火絞腸俱可吐，祛暑和中證自際(除)。寒鬱甚者須反治，內傷滋補免清臒；三伏炎蒸尤可畏，預防不獨羨香茹(薷)。」其次，在疾病分類中詳述了暑類痢、瘧兩種疾病的證治方法，云：「瘧暑類：瘧疾先要陰陽定，陽熱陰寒如期應……有時瘧後痢相兼，總要祛邪與扶正。痢：疼憑色證分熱寒，總因濕火氣血滯；表證頭疼或嘔渴，裏急腹痛後重墜……」最後，在疾病治方中，分暑風、暑厥、暑熱煩渴、暑病泄瀉、腹痛、咳嗽、氣虛、嘔吐、呃逆、注夏病等十餘種病證，列載了二十首對應的治暑醫方，言：「暑門：消暑敗毒散，即人參敗毒散加香薷二錢，黄連麩炒一錢……暑厥，人參羌活散合香薷飲……呃，柿蒂竹茹湯，柿蒂三錢，陳皮二錢，山梔、竹茹各一錢。」

《雜病提綱》的作者十分重視臨床實用，主要體現在以下幾個方面。首先，本書絕大部分篇幅記載疾病治方，所載雜病提綱與疾病分類亦多爲臨證診治要領，較少空談理論；其次，本書作者在引用《醫學入門》《東醫寶鑑》時，删去了冗餘的理論闡發，僅保留最有臨床指導價值的部分；再次，本書所載治方簡明扼要，在《東醫寶鑑》許浚遴選治方基礎上做了進一步的篩選，且補入了日常經驗用方。

本書作者意在編撰一部簡便效廉的臨床實用小書，其主要依據的《醫學入門》《東醫寶鑑》兩部著作，均具有較高的臨床實用價值。但是，作者似乎認爲單獨選擇《醫學入門》或《東醫寶鑑》中的任何一部著作，都不能滿足自己的編撰需求，於是綜合上述兩部著作的優點，仿照《醫學入門》的編撰思路，將其書分爲雜病提綱、疾病分類、疾病治方三部分編撰。作者捨弃《醫學入門》卷六「雜病用藥賦」與卷七「婦人小兒外科用藥賦」，配以《東醫寶鑑》所載醫方，并增補日常經驗名方，將上述引録文獻巧妙地編排融會於一體，使此書成爲内容系統、結構合理且具有較高臨床實用價值的佳作。

四 版本情况

《雜病提綱》目前僅見鈔本一部，藏於韓國國立中央圖書館，本次影印即以此本爲底本。此本藏書號「古7671—98」。不分卷，一册。書皮題「雜病提綱」，無扉葉，無序、跋。書首有半葉行格書款與全書不同，文字爲李大年等二人小傳，内容與醫無涉，疑爲他書雜入此處。此後的首葉題「雜病提綱」，無著者信息。無框廓及界格欄綫，無版心、魚尾。每半葉六行，每行字數不定，小字雙行。如雜病提綱、雜病分類、婦人門三部爲七言歌訣形式，每行二十一字；傷寒門歌訣每句字數不等，每行約二十五字；疾病治方包括該方主治病證、方名和藥物組成，其中方名爲大字，餘爲小字，每行約三十字，少數行超過四十字。此鈔本字迹清晰工整，文中有朱點、朱批，但存在少量文字訛誤。

綜上所述，《雜病提綱》是一部面向臨床的疾病證治小書，全書係整合《醫學入門》《東醫寶鑑》疾病證治的相關内容，并參以著者個人臨證經驗編撰而成。此書内容自成一體，臨床實用價值較高。今影印出版此書，希望爲中醫藥工作者提供臨床診治的便捷門徑。

韓素傑　蕭永芝

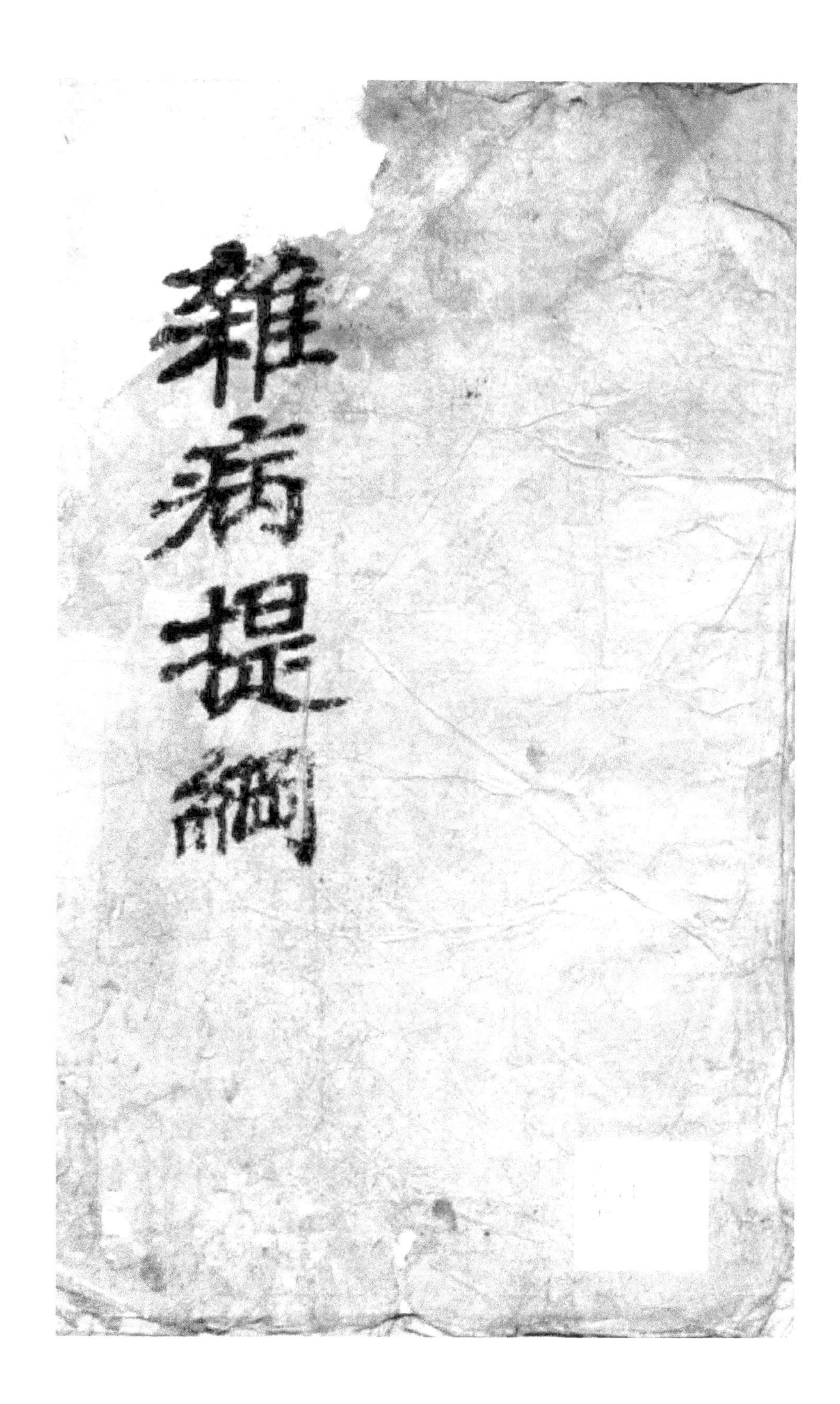
雜病提綱

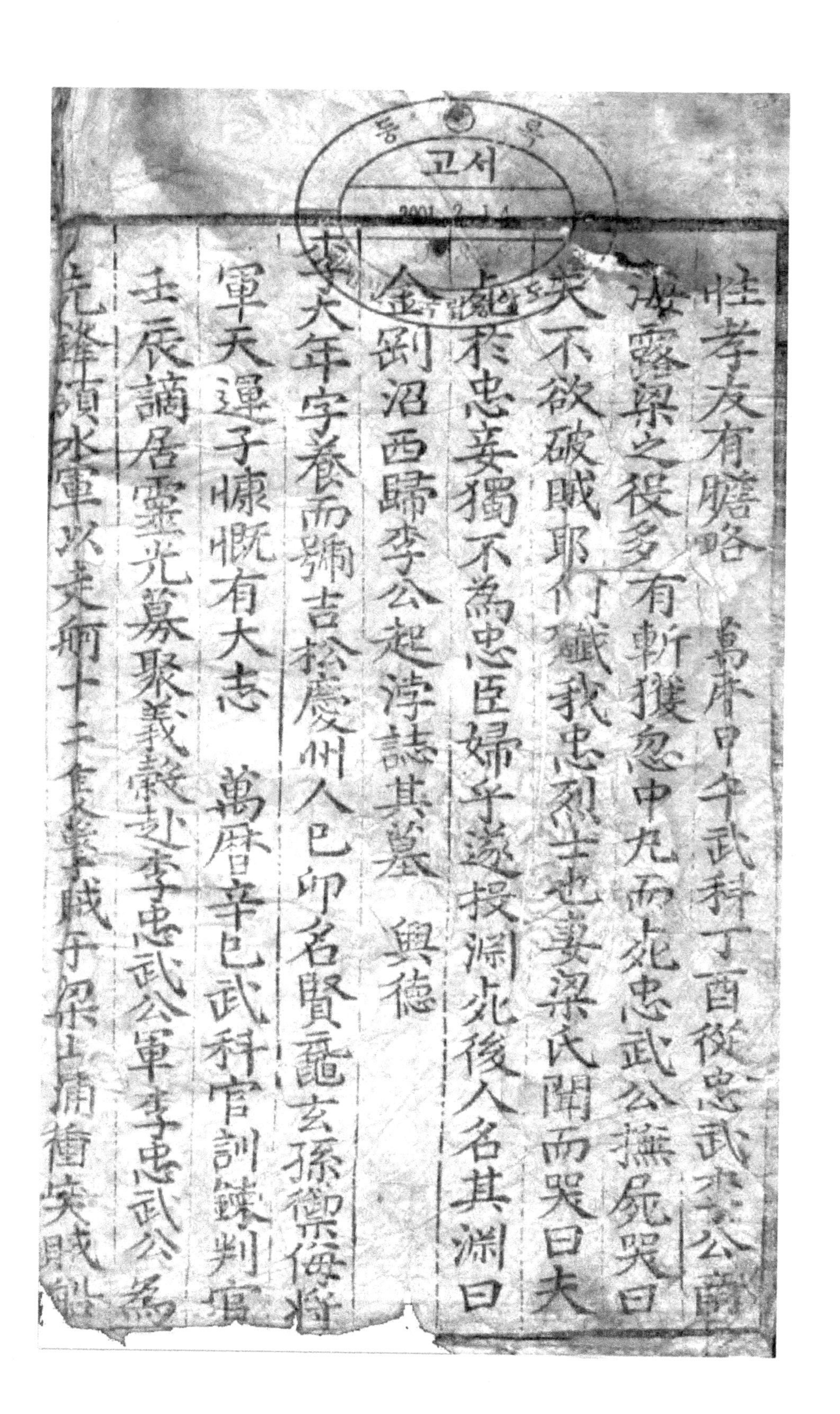

夫神者人之主將寄在脾熟寄在腎將寄肝臟

正寄在心

雜病提綱

外感風寒暑濕燥火

內傷脾胃氣血痰食積變諸症虛損

外感

頭病頭痛　面風眼耳鼻口舌

牙齒痛風　痹風斑疹眩風頭風

風

中風卒倒今直似　[illegible]痰塞喉中聲如曳鋸　又有五[illegible]

口眼喎斜語言謇澀　[illegible]半身不遂四肢癱　四證全[illegible]

西北真中宜分治
東南類中當審虛
真中〻脈着四肢
中臟塞實多昏危
左爲死血與小血
痰與氣虛身右居
冒風惡風多屬肺
挾內慎勿專攻外
中寒無汗肢僵仆
惡分三陰暖下完
暑熱汗渴當審虛
陰陽經絡最難詳

主火主氣或主濕
內傷氣似當相須
中血脈則喎口眼
又有中經亦要知
通治開關化涎沫
順氣活血風自袪
重則傳變輕不傳
久甚能爲氣血虛
感冒尋常和表裡
內傷補益加辛溫
中傷月伏分輕重
暑風暑厥又何如

氣衰所邪容易脹
火動血中无涎污
內外無證從中治
只不能語肢不持
若覺膚頑肌蠕動
預防之法亦堪推

寒

咳嗽霍亂
心脾痛腹痛

暑

瘧痢

痰火發腸俱可比
祛暑和中發自除

寒盛甚者須反治　三伏炎蒸尤可畏

內傷滿補免清癯　預防不獨羡香茹

吞酸　黄疸　水腫

腰痛　疝痛　脚氣

着　脚腫　脹大便泄

着臂脚腰小便濃

燥　消渴　燥結

火　腰痛　夢遺　淋疾

火因內外分虛實

臟腑無常主病多

濕氣覺來分內外

內外又分上下中

四氣相兼濕熱甚

清熱燥濕兼中補

燥有內外屬陽明

抑來金被火傷刑

小變不通小變不禁

實火消渴熱死間

虛熱有間口無何

濕　痞滿　泄瀉　脹滿　赤白濁

初入身沉多困倦

上蒸喘嗽目如[illegible]

通用燥脾并外散

實者大便方可攻

皴劲濇秘雖風熱

表裡俱宜潤衛榮

脫肛　變、即便

瀉實補虛升且降

君相民皆靜且和

内傷

調理脾胃

食傷初寒久則熱
勞倦初熱久寒症

氣

氣滯
氣刺痛
結爲積聚散虚中
走注脹滿吞酸噫

血

吐血　嘔血　衄血　咳嗽血
溺血　便血　腸風　臟風毒

傷食積聚
痞塊蠱瘴
熱病火痰痛出痿
溼病腫脹瀉難停
諸氣皆因火作孽
間傷生冷寒寒熱
胃痛脾痛二便難
氣血痛痰宜審別

調理脾胃溼與熱
且看心口疼不疼
消補清熱與燥溼
兼瀉虚實脉遲數
喜怒驚勞氣與元
思憂悲恐逃滯結
治分痰積小與多
降火清心在妙訣
諸血生須分各經
逆則上行順下行

外證有潮夜反重　外感積聚宜發劑　吁哮男女血崩病

量人虛實氣須清　內傷滋補火自平　保全脾胃可長生

痰

喘哮惡心嘔吐　飢飽噯嘈雜而　痰分新久內外邪

痙癇悶格癲狂　驚悸怔忡健忘咽喉　遂滋調經主病除

痰癖胃脘脹脇痛當心下伏脾支脇上

風清痰裏濕色白　火盛稠粘氣如絮　痰飲有五同只一

熱黃甚則帶紅些　食痞酒癖脅肋痛加　汗吐下溫用莫差

皮膚小青紫腸紅瘡滯支節成塊腸胃十宜

肺燥順氣與分導

墜下溫中潤肺痰

蟲

喫食類參看唇白嘔吐睡時齒咬火盛如腸痛咬撥

瘧疸癆癖溼熱如蠱脚面腫痛分見各類

火盛仍分痰火積　氣痰喘胃血能食　脘嘗噎者眼食嘈

久則升散宜道　食脹溼痛熱自發　有志養陰神自充

積熱

積熱三焦當瀉實　實分氣血清各經

口乾煩渴大便堅　虛歟升降與滋益

風痰濕熱常相兼
變症多端難辨一
諸虛專要辨陰陽
食小神昏精不藏
調和心腎養脾胃
挾熱與寒細酌量
泄痢大補燥脾胃
男精女帶吐瀉奇

頭眩 風類

風則項强寒拘痛
暑煩痰多濕重垂

諸虛

蒸熱畏寒自汗盜汗痿厥
勞瘵求嗣養老

腰背胸腸筋骨痛
潮汗咳嗽是其常
外因新損瘀弱復
勞怒久虛成內傷
從來養壯延年藥
只是中和效更良

泄痢痛冷

腸疼肢冷心腹痛
嘔利慢援退腎衰
取陰取陽先過治
王氷此論亦吾師
頭眩欲倒辨瘦肥
眼火昏暗屋旋飛
外邪和解清痰火
內虛本固表自移
虛弱年老陽陷越
火痰暈甚氣痛眉

頭痛

厥頭痛將內外分
外感寒熱表裏論

頭風

火甚火血裏重綿
不如外感相無併
面腫居食熱不食
頰顋同此分虛實
眼病須先分表裡
五輪八廓亦此理
八廓部位始有名
婦人小兒大同耳

內虛氣滯太陽痛
血虛魚尾上生頭
頭風項強分偏正
兼濕兼熱陰燥逆
眉稜眶痛屬陽明
死非痰與風熱是
陽盛面熱陽衰寒
生瘡抱是胃濕痰
五輪白肺烏珠肝
心與小腸內外眥
暴赤腫痛淚且澀
翳膜眵昏抱是表

腎虛巔痛七情嗌
痰火食積皆同回
濕痰痛皆多右邊
血虛脫重為左偏

面風

眼

上下兩胞胃與脾
腎水一點黑瞳子
脾虛昏眯最羞明
內障黑花蠅散香

近視陰虛視遠陽
淚冷睛痛多糯細
陽衰火亦都宜溫
外治鍼洗要手巧
痰火風濕閉可通
虛勞精氣脫難救

鼻

鼻風降火兼要法
久宜養血補腎真
熱極偏勝只噎𪗋
中虛炎上亦難哺

外因風熱症挾痰
內傷氣血精神少

耳

耳鳴乃是聾之漸
聤聾耳痒皆風熱
鼻塞須知因新久
久成鼽衄淵流清

口舌唇

外白仍分瘡赤白
臟氣含香動可除

風熱人餘居六之
古人只消一字了
耳聾耳虛熱分新久
兩腎怒左相火右
大要調氣與開閉
外治灌聲亦可透
傷酒鼻齄傷熱痛
鼻瘡鼻痔熱同因
口病有熱亦有寒
心勞味厚病根殊
舌病內外因可辨
外因瘡痒內腫長

腎虛洗黑肺瘀脹
肝劍心脾裂作瘡

牙齒

齦有黑點破肉爛
開口便知風與熱

痛風

濕痛如脫風汗黃
暑熱煩疼寒掣髓

痹風

唇屬脾家病幾般　血虛無血氣癟腫
風腫寒緊熱裂乾　繭唇不食瘡應難
牙齒屬腎胃大腸　客寒犯腦痛難當
胃虛濕陰腸胃涼　挾吸毒疾鑽出血
牙宣之因只有二　外治必兼宜服藥
走馬疳參小兒方　擦牙先須擦牙床
痛風歷節分腳弟　詳分上下與周身
痛多兼腫或不腫　風毒髓痛共一種
七情刺痛令傳痰　治外流濕與袪風
氣血虛勞不榮細　調內活血和氣丹
五痺皮脈肌筋骨　皮頑脈濇證多煩
上多風濕下寒濕　肌肉不仁筋骨曲

祛邪後分氣血痰
補早反令經絡壅
斑疹屬火有二因
斑疹勢微蔥如錦紋
赤白遊風屬肝火
虛痒不止血難匀
實者痰凋辨且重
虛者辨利亦痰清
治分新久求其本
久甚還將脚氣尋
心胸本痛或熱痞
痰喘煩渴都可愈

麻屬氣虛木痰痰
治同痹風戒酒醋
疹癮皮痒先腫痛
出如粟米赤白分

咳嗽 痰類

外回四氣隨時令
內傷火盛勞食情

霍亂

轉筋舌卷囊縮危
分利升降消食瓜

斑疹 附赤白遊風

五色血毒風火熾
黑而入腹最傷人
咳嗽原分痰與辨
痰辨但有肺脾經
痰咳脇满水喘悸
瘀血礙氣脹且腥
霍亂暑濕乾三種
病本中焦濕熱蒸

心痛

厥心痛先問新久　七情鬱悖虫不運　胃脘脾痛傷飲食
痛甚發厥有二因　痰火來去痙昏神　肢脹便閉嘔煩
外感三般風冷熱　氣血虛勞挺則止　化瘀消積氣下降
連脇要背小舒伸　大寒背高痰飲嗅　劫痛九丹可入唇

腹痛

附腹中癥瘕

腹痛大小分陰陽　食積有形便後減
寒痛綿綿熱不常　濕痰溺澀火鳴腸
虫腹出水走能食　中虛全不思飲食　初起虛溫實宜盪
七情氣痛痛胃盪　瘀血痛必着一處　久則升消理胃腸
腹中痃癖推痛瘰
癖痃痰火善為殃

瘧

暑類

瘧疾先寒陰陽定
陽熱陰寒如明應
瘧寒太陽熱陽明　少陰四正厥四旁　瘴瘧山嵐瘴一方
風瘧少陽寒熱並　太陰辰戌丑未病　鬼瘧邪感異常性

詳分寒熱汗且和
或吐或下須斟酌
清痰燥飲補脾胃
利水消瘀瘧母淨
前憑色證分熱寒
痢因濕火氣血滯
七情鬱熱食積黃
虛而滑脫多因虛
愈後餘痰都當防
恐成腫病鶴膝類
雜病食癥魚蟹盡
痰火氣血利膈間

內傷善食惟七情
勞瘧癥瘕虛損諧
有時瘧後痢相兼
拉要祛邪與扶正
表證頭疼疼嘔渴
裏急腹痛後重墜
唯有休息最難禁
蟲痒如肝不可治

痞滿　濕類

中虛如刺疑碍阻
王道消補總可安

瘧痎嘔咳多昏迷
食瘧腹脹寒熱並

痢

熱而紫黑瘀白清
濕如豆汁風青是
初宜通解寒分消
久乃升提補脾胃
痞滿先分便與難
外感乎表同傷寒

泄瀉

五瀉須知溺赤清
濕瀉自重注如傾
痰瀉多少火暴速
虛瀉厥汗面多青

協風完穀寒拘通
身熱煩渴暑分明
滑瀉不禁氣陷脫
交腸似痢何由名

内傷飲食痛且臭
痞脹不順屬七情
風宜微散寒溫逐
虛補積消濕滲升

吞酸

吞酸吐酸皆濕熱
大要分起日久邪

久停食積降火痰
陰虛暮劇須養血

黃疸

疸則顯黑小腹滿
陰經嘔吐陽熱寒

黃疸須知有濕乾
渴多喘滿酒之難
虛勞白濁腳軟弱
外感瘀血詳係懸

汗溺俱黃身体腫
頭搖懊憹發赤斑
酒分表裡滲爲妙
溫中兼補腎與肝

水腫

水腫上下陰陽似
濕熱變化恒屬脾

下注腎經陰胎腫
上升氣喘肺孤危

陽水熱渴二便閉
汗下分消要得宜
風腫走注皮麻木
氣腫隨氣消長之

鼓脹 與喘參看

外感寒熱爲裡邪
內傷氣喘悶且利
一般中滿證稍輕
補中行濕法相同
間有虛勞下部冷
久則升提斂胃宜

陰水身涼大便利
補中行濕再升提
瘀血之腫如何識
皮間赤縷血痕兒
高脹虛寒涼則堅
都緣濕下運布
食脹有熱亦有寒
蠱腫悟滿心如醋

赤白濁

腰痛

陰多久病或產後
陽熱食毒與瘡瘍
蛀蠱又有陰陽疾
通治尾甘與伐劑
煩喘嘔渴腰腳怪
胃痛臍悶小腹墜
虫積善食瘦不眠
水脹癃瀝血便癥
赤白濁皆因濕熱
濕痰濕火理一同
腰痛淋久絕腎虛
外感風寒痛連背拘

湿痛重着熱煩燥
風痹脚膝强難舒
作勞血脉難周養
房慾悠悠或軟如
大綱盡痛引小腹
水筋氣血狐癩囊

脚氣

在下升之衝上降
家汗裡不住湯丸
消渴先明氣血分
總是火炎不必同

内傷疾走腰臟脹
憂思腹脇痛相循

疝氣

陰癩腫通硬如石 痛
硬木不通腫偏丸
脚氣須和有湿乾
内因食積外風寒
腿痛轉筋皆血熱
亦有痰火及風寒
上消引飲便如常
中消善饑無溺黄

痰連脊脇積難仰
因虫痰逆夜偏呼
疝本湿熱裸則寒
小腸膀胱腎總由肝
治詳内外宜疏利
消痰療積補虚頹
湿勝腫方寒勝痛
虚火軟緩痺且頑

消渴 燥類

腎消溺濁陰莖强
補肺滋腎脾自運

燥結

宿食秘結蓄熱寒
流行肺氣無遲慢
左為怒火與死血
右食痰飲七情居
夢遺並兩全屬心
相火一動走精金
固有年老虛脫者
卻無精滿溢而淋
五淋氣砂血石膏勞
閉不渴間差釐毫

燥結兩字亦有辨
燥潤結通死後患

脇痛　火類

兩脇痛兼左右證
久久成積還有餘
不信無夢而遺者
念頭將動精先流
脈藥滋陰戒酒色
清心先要斷真源
清熱利便分之晚
開行滯破束通瀉

澀血脹滿熱有時
津小藏寒七情慣
脇痛本是肝家病
宜分左右審虛實

夢遺

日久水虧火益燥
脾胃濕熱亦相侵

淋

小腸流脹膀胱濁
肝鬱莖脹痛如刀

腎虧君發精敗竭
中虛絕難利方先
小便不通本涼熱
有虛有痰有氣結
小便不禁不自覺
赤者為熱白者虛
傷食惡食吞上下
次審寒熱行吐瀉
酒家介介消與綱中
負君樹樹柳樂媚爾
大補肺腎補不提
外治數既亦可撰

痰飲轉將何是真
此提一法見呼歸
尋常亦法宜清心
胞痺膈痺介理訣
心脾勞者頻頻小
不約多遺或濕餘
脈滿噫噯心腹疼
發熱吐皆因食不化

脫肛

積聚

小便不通

小便不禁

傷食內傷

此下赤淨清導之
此下已虛補益借
脫肛全是氣下陷
間有熱者病乃重
五積六聚皆屬脾
左右中間移不移

左死血旁右氣積
當中痰結一團而
中蠱害人俗不妍
更有椎生及蠱泉
氣滯不行辨久新
濕熱痰積是其因

吐血 血類 此節論血分言之耳

先痰帶血是痰鬱
先血後痰虛火倡
嘔血與吐無大異
怒火暴退不可當

有餘消導分新久
不足平補是上醫
瘴氣瘧瘟分內外
不服水土瘴同源
滯膈痞滿滯下秘
滯中刺痛或周身
吐血屬胃審陰陽
陽盛身熱陰盛涼
陽熱涼血與行氣
陰虛補法自歸臟
氣虛發熱咽喉痛
血虛熱熾滋降良

蠱瘴 皆因飲食起 [illegible]

氣滯 氣類

散火破氣雖古法
養血補虛同婦人
陽多積熱併是火
陰為勞力暴勞傷

嘔血

衄血

衄血熱溢肺與胃
涼血行血古人方
嗽痰帶血本脾經
有咳屬肺治難嗽
此是肺腎真臟傷
滋陰降火非偏見
虛損虛勞爲日久
滋陰補腎更無疑
寒熱毒濁澀不痛
濕瀉血前最難除

喘 痰類

諸方血藥不能止
必然氣盡血無藏
血隨嘔出自腎來
痰血緣肺火相煽

溺血

便血

內傷飲食積糟粕混
勞傷氣陷血因拘
喘急先分肺腎虛
且次當知有無火

咳 嗆咯

咯出血屑爲咯血
或帶紅絲細如線
溺血純血全不痛
暴熱寒熱和之宜
便血須先分內外
風青熱紅是則爲
初起和血祛風濕
久只補脾法劑使
火炎滿食喘暫止
痰喘喉似水鷄吹

七情氣鬱無辨響　水喘怔忡或腫脹　陰虛火從臍下起
外感裡違只氣粗　已上諸喘皆有餘　氣短不能續及呼
胃弱元氣不能納　未發扶正治其本
擡肩擷肚胃豪孚　已發辟邪痰火踈　哮（痰喘甚而常發者也）
哮促喉中痰作辨　扶水扶脾須補汞
出法必須量体行　斷根扶正金宜靖　惡心
惡心欲吐不得吐　不渴胃虛與胃寒
見飲食心便惡　煩渴胃家痰火盛　嘈雜
心嘈似飢又煩雜　五更嘈者思慮傷
縂食多憂痰火合　血分稍虧宜補接　噯氣
噯轉食氣亦名噫　寒噯食罷噯方形
有痰有火沸於胃　虛噯渴氣滿胸次　嘔吐

嘔吐須知胃是熱
更分三焦有妙括
痰火不已水怔忡
腥臊薰心多痰血

飽逆

飽逆分不足有餘
不足火炎陰氣虛
隔證伏下多潮熱
汗吐下後熱未除
三焦枯竭成膈噎
陽火升上有虛熱

關格

與嘔吐膈噎
附症參看

臍帶不食氣上攻
脹滿酸悶食作孽
客風潮〻暑煩渴
氣虛痞滿蟲痛切
勞後傷脾故有此
久病真積火為害
有餘消泄不足補
補有溫平涼莫拘
為痰為積本七情
氣血兩虛多口味
關不小便格嘔逆
上寒下熱中焦窒

厥逆下焦併有寒
三陽熱壅大便結

飽逆

有餘飽食伏升降
痰血何由得恭舒

膈噎

金水二臟須扶持
益陰養胃是總訣
吐提其氣非必痰
或治下焦不同執

痓

痓發虛柔實則剛
口噤不醒通身強
內外皆因挾痰火
血間諸虛是則亡

癎 工與癲狂相似但癎病時發時止邪流五臟癲狂經久不愈邪全歸心耳

癎有陰陽只是痰
時師何必究五三
痰挾火與驚多小
調中補北瀉東南

癲狂

妄言未見如神鬼
邪祟由來痰作殃
癲狂痰火閉心堂
都緣喜怒大充常
陽明熱結膏粱味
譫議重陰與重陽

驚悸 怔忡健忘

驚悸惕惕不自定
如人將捕曰怔忡
又有健忘非質鈍
精神短小痰相惹迷

咽喉 附失音消啞

種種咽喉總是火
火有虛實從何知
實火便閉胃亦緊
虛火便利脉亦微
纏吐引痰為捷法
急是神針一發之

毒結開關逐可散
喉伏音者却難醫
勞役刀傷慾氣皆神
生冷盃過四肢退
虛煩內煩不得眠
挾痰挾積也難淨
自汗侵々屬氣虛
亦有痰濕外邪邪
諸痿不痛火剋肺
肺傷木旺肢体痿
或兼濕熱或兼痰
又恐食積陽明滯

發熱（附惡寒　虛類）

晝熱口渴是陽虛
夜熱晝輕陰弱定
惡寒陽虛不自任
洒淅陰虛痰火盛
盜汗全是陰分弱
腎火脾濕心勞動
瀉南補北是大經
慎由濕同風濕治
五痿旺時病易痊
天産作陽或厚味

發熱原兼表裡證
明是內傷虛損病
陰陽虛熱兩兼時
骨蒸傳變須妨命

汗

痿

風因外感宜發散
痿屬內傷補血氣

厥　與麻木條參看

厥諸不獨手足厥
宗筋脚胃合為攣
小陰心痛口舌乾
厥陰莖縮膝脛拆
總因酒色陰陽衰
尸厥亦是下虛援
勞瘵先須辨陰陽
陰陽傳變最死帝
我有一言真藥石
改過遷善由胃着
心煩咳嗽多嘔啞
瘡癰痔漏與腸鳴

太陽胸仆足難行
陽明肢滿癲狂發
又或咽腫咳不寧
腦癰項強衄吐血
接補陰陽本內經
此下還為寡者設
潮汗咳泄分輕重
初與開闔起胃房

諸虫

又有厥蛔蠱（蛊）動作
心腹刺痛藥不靈

小陽耳聾脇肋疼
太陰䐜脹作嘔吐
外感寒溼暑相煎
內傷勞倦火抵

勞瘵

多則平補火自熄
扶正祛邪也亦云
九虫皆因臟氣弱
溼熱薰蒸痰瘀成
婦人兒胎兒血蠱
眼鼻下黑蝕不明

傳尸勞虫十八種　虛炕溫補後追逐
居肺咯血必損辨　實則吐下量休行

求嗣

求嗣之理非玄微　寡欲清心為上策
精血無病交合時　服藥陰陽遺得宜

養老

老人無非血液衰　亦有脾虛多積滯　鬚屬小腸髮腎泉
火動風痰百病摧　溫和丸散可扶培　精不上升白似灰
鬚髮脫落非因老
內風血燥亦奇哉

傷寒論

太陽則頭疼身熱脊強　少陽耳聾脇痛
陽明則目痛鼻乾不眠　太陰腹滿自利
寒熱往而口渴咽乾　少陰舌乾口燥　經絡難拘日數　寒傷榮而風傷衛不必為首
尺寸沉而津不到咽　厥陰煩滿囊拳　標本須明後先　解可汗而俞可下陽明宜
而小陽存經乎中治禁汗禁下　謂傷足而不傷手則因以寒為足之所司
而三陰利用乎變法有中有傳　謂傳足而不傳手不可蓋熱為手之所寬

表可汗而可下，表裡平者自然和　表裡俱無不可犯上犯下　當汗

陽可實而陰可熱，陰陽極者從治非訛　表裡俱有寒其熱小熱多　當下

而下則為痞滿煩懊，痞氣結胸之患　不可汗：諸虛咽瘡淋血壞症動氣與風

而汗則為悸惕亡陽，譫語厥竭之病　不可下：諸虛咽腫嘔厥結胸動氣與脉

溫風濕脈澀　陰虛挾火脈數之者猶　忌下以救水存液之機，是最　過

浮脈虛而表　陽寒肢冷而脈微欲之者大　忌溫與和陽止嘔之方非小　尺

經汗下從輕　發表攻裡溫中之方法　以消中為貴，不及全甚太過

遲數補何忌　扶陽助陰抑陰之義　證看似是而非，不知寧可不治

傷寒惡寒無汗而手足微冷　治表裡急治裡表惡陰同乎陽為兩感　三陰

傷風惡風無汗而手足微煩　傷風見寒傷寒見風脈不合證而相反　三陽

合病自利而汗下惛在經入腑　但聞懊憹能傳染　春發為溫晚發

併病可汗而攻腸必傳胃故根　豈知正氣亦多危　夏發為熱冬溫

疑為秋病賢請高明　静而得之為中暑　暴寒々瘧與伏藏已變之瘧
絶是时行加甲調変　動而得之為中暍々　暴温々疫與過經不除之温
自是情邃　風湿喘渴多睡四肢不收若癱瘓　風湿頭汗身重而大
皆雜汗來　湿温胃滿妄言兩脛逆冷如瘧　寒湿頭汗身痛而大
便雜　中湿二便乖而黄於肌膚　寒湿重感成痙痙發附可
便泄　湿痺三氣合而痛歷乎關節　寒氣重感変温瘧甚則
驚　霧露中於下焦名曰渾　水發而多嘔咳而頭汗惱在表也則身熱
截　霧露中於上焦名曰潔　著發但口渴而頭汗惟當熱者則溺澁
而心胃怔忡在裡也則身涼而腹痛　滿堅　唇煩頭身不痛先汗而脈
而大腹脹膨當血發者則溺清而小腹恐結　便發頭項不痛寒熱時
鮮緊　食積心胸滿悶　瘀血昏忘如狂脇腑小腹不快　痘疹
多浮　脚氣脚脛軟疼　瘡毒飲食如旧焮痛可求　労去

厥足當時冷　外感踈泄血崩　正類傷寒如斯　嘗聞
瘀火待日周　內傷補益兼扶　傳變傷寒何謂
傳陽則潮汗閉結瀉狂譫遺則衄血愚喘　能外攜屋
變陰則厥冷吐利不渴靜蜷息遲則咽痛鄭聲欲坐井池　請以助

證言

頭痛三陽所主而濕瘀更寒兼煩　項強連背邪加
巔痛厥陰所司而脾腎從足至頭　項強連腳邪外
臨　頭時有風有痰　身惡寒有熱指熱陰陽拒之　惡風可解而
猛　攣胃不仁不省　背惡寒口和口燥虛寒有之　發潮可通而
偏汗溺澁當溫　似瘧作止有時太陽之明厥陰　往來寒熱正
氣逆脈虛足冷　熱多寒少三証弱脈之遺同等　表裡寒熱比
是半表半裡之情　翕翕發熱於表則二　煩燥以燥之煩漸而介
如冬寒夏至之景　蒸蒸發熱於裡則一　煩熱以臨之軟滿而漸

陰陽 自汗不特傷風也 汗小陰多發而自汗 亡陽小血躁極痿躄
虛實 無汗不特傷寒也 併陽明及發而有之 寒入小陽多病陽明
不得汗須巧攻 陽上蒸而頭額汗 表實內枯最證多 下後熱只
臑中汗且盜出 氣旁達而手足汗便難 軟利法已畢 汗後熱多
陰弱而邪隨之者 則痛 虛者汗下之後惡寒戰增 咳嗽有寒熱水
陽虛而邪入於裏者為實 熱者吐下之後消渴可必 体痛有陰陽血
氣之多端 渴有汗多自利 水入則吐各宜證 悸血因汗快宜便
風之纖悉 嗽因經熱裹寒 水入不嚥多血疾 衄陽浮火所衝陰
堅為痞 滿為虛 目盲鼻鳴而咽痛者熱搏之重 四肢冒不由熱而溫
發熱惡陽熱退 又手冒心而聾耳者陽脫之因 一舌只當由白而黃
而冷厥知是傳經之厥 無寒熱而作嘔者多因血虛 口乾口燥
而躁煩失目本脈之紅 無色澤而唇青者只是虛寒 氣逆氣喘

口涎豈無異　涎嘔乾嘔眉際腎肝病證　噦餉皆由木寒相搏
氣知大相同　吐膃吐酸總因胃腑熱蒸　飽逆亦有陰陽兩端
衄血熱迫於鼻動經則為厥竭不治　涌汗驚狂痺痺總是火
吐血熱積於中併牙乃是腎胃相殘　譫語鄭聲虛實全憑水
邪逆　咽痛有熱無熱腎伏　暴寒下必利　結胸下早而緊
道者　臟結有痞無痞臍痛引陰壯少難　痞氣下早而虛
痛大小寒熱宜細辨　客熱傳臟特發躁　腹滿發熱表肥證
滿硬濡嘞利更為害　內虛動悸必在煩　脇滿半居表裡間
胶脹裡有邪陽閉濁而陰利厥　胶痛熱閉　冷利鬱邪逆裡相搏
腹脹裡未淨吐下深而汗後痞　臍滿難凝　冷結有輸非氣聚
妄施三法動積氣奔腹上衝在宜　大便閉本裡熱而帶表屬陽
邪犯三焦成霍亂吐利不散則殂　小便閉本下熱而亡津屬陰

未可攻下 永雖陰虛而陽邪蒸氣方盹移熱小便雖澀而不
難以滲流 水利偏前而後便乾枯腎虛脇熱小便難發而元

痛 脇熱自利而渴口腸垢熱甚純下青泉 壯而熱止其利斷下之
餘 脇寒自利不渴口鴨溏澀垂有如豆汁 厥而利反能食除中乏

生也不長 風痛手足牽搐 太陽腰痛項連尻 陽明不顧小如
死也可立 陽虛四肢拘急 小陰腰痛背及脊 太陰遺溺厥張

剛 陽氣虛而筋惕肉瞤 邪氣勝則心亂而慄也爲陰 細
柔 風熱極而瘛瘲短長 正氣勝則身振而戰也屬陽 狐

厥却緣多飢出蚘咽及攻胃 陰陽發斑總是火誰知溫毒時毒
藏蓋緣伏汗出食脏及食肛 血溺如狂有是證爭似發狂亦狂

多眠陰盛而晝夜寐不厭 常病常法易知 陰陽微甚分於便溺
不眠陽盛而夜臥不遑 變病變法難詳 陰證常變察其有力

便通　陰盛不熱便厥而下利清　量厥狀與伏火　陰毒
無力　陽厥微厥便熱而下利黃赤　臟厥發燥無休息　陽毒
冷汗甲青而六脈沉細身痛若鞭　陽盛拒陰大熱證也脈數而身
無汗脈細而遍身紋斑臟腑若石　陰盛拒陽大便發也身熱而脈
反盡寒　取證而不取脈可汗可下　太陽證裡虛而脈沉補中宜
不鼓擊　憑脈而不憑證似陽似陰　少陰證表在而反熱發中宜
發　脈伏而必中邪汗當發而非真氣之脫也　或先溫而後之汗先身
補　脈無而將欲正汗而攻擊如久旱之甘雨　或先解而後攻先便
輕　有表證而反不可汗者為其表之將入於裡　利半表而溫半裡
愈　有裡證而反不可攻者為其裡之未全於腑　汗三陰而下三陽
顛倒六經非真見不敢　戰汗已占病可解　痊後昏憒非
反覆汗下有神手何益　發癢雜識疾長移　遺毒不敢發

非魅　勞復食復飲酒復者熱甚　一病而合經絡將何以識
癱瘓　陰易陽易陰陽交者命危　遍身不仁飲火頑然無知
四般壞症犯何逆　循衣摸床泉清徹知在胃　口張目陷不
五臟死候巧莫施　撓頭直視風竄非絕搖心　肢冷瞬硬難
復　腎氣早晚遺弱　猶自行方竊居進士之正學　婦人偏聽
禁　心竅散有毒決音　好生惡死慕秦越人之慈心　與男無異
經來經斷各四熱入血室　浮沉升降順天時　潛心之下真有
產前產後循之法死犯胃　南北東西隨水土　及漢之間似乎
斯道存焉　由丹溪而入長沙秋江澄徹　噫　學未
兵法庶矣　涉河澗而步東垣春山紅紫　且如
寇宗張劉朱李　勉之々々
議守叔和死已　匡懷死底

孕婦藥禁

芫班水蛭及虻虫
野葛水銀并巴豆
烏頭附子與天雄
牛膝薏苡連蜈蚣
三稜代赭芫花射
牙硝芒硝牡丹桂
半夏南星與通草
大戟蛇蛻黃雌雄
槐花牽牛皂角同
瞿麥乾干蟹甲爪
硇砂乾漆與桃仁
牛黃龍腦金銀箔
地膽茅根莫用好
蜈蚣鬼神犀大黃

婦人經候

經病而端血滯枯
滯曰外感傷冷血
枯傷勞食或作泄
滯宜破血枯補虛
也有盛漏久宜疏
濕痰胃熱分痒懼
脫血入房肥氣絕
不通大[illegible]經此
後期來小血不紫
或多遲青過涉動
不調前後色如何
先期來多血有餘
或前或後氣血亂
風熱色紫甚則黑
外發潮熱內腹痛
淋瀝不斷邪未蹤
淡曰淡滯痰糢糊
痛滯經前虛後呼

胖

水腫經前血腫後
血亂身痛脾皮膚
崩漏有虛亦有熱
熱則流通虛溜泄
勢急須宜止且行
養胃急還歸血
熱多便秘必調熱
濕勝肥黃痰候孳
室女胎產法相同
補衝調脾消去瘀
癥瘕冷熱都是痰
或因食積或血怒

養胃通心直要法
室女扶陰抑寡居
虛多房勞挾外邪
熱只飲食不調節

帶下

間有寒冥腐臭腥
陰中冷痛何曾歇

癥瘕

男子積聚同

胞病經閉如脈胎
面黃肌熱勞瘵羸

崩漏

或因四氣苦相侵
或為悲憂心痛攻
帶下赤白皆濕熱
臍腹痛是濕熱結
外感風邪傳各經
一種可謂思慮功
玄辟病源頗相同
腹脹不食亦可惧

超

腸鳴可撥血自通
石瘕塞胞經無路

產後

內傷勞役漸虛羸
食補脾虛瀉且吐
不語皆血濕痰迷
夜見神非邪時鬼
惟有身中衄里如煤
發喘搐搦癱瘓
驚疾氣喘大有餘
見胃治法得且具

血蠱氣蠱堅如石
水蠱脹滿俱難治
產後必須先逐瘀
瘀消然後敢補助
外感寒熱無時傳
補中清表無過度
又有惡露常不收
或因勝損兀難住
陰門突腫腸不收
子宮脂膜休藍急

產前

調氣破血漸消除
虛者還為補脾胃
瘀衝腸胃脹心疼
血虛火動疑熱症
身痛筋攣虛煩渴
汗多大便偏惕固
任是肩風痹痿腫
一切藥症補與攻
乳汁不通血氣感
氣喘壅者戒粟惡
胎動心腹腰作疼
墮則下血始解行

或因七情氣不順
或因外感風寒熱
惟有犯房難救止
倘然尿血莫糊糊
子懸心腹滿脹痛
胎氣衝心相火閉
又有脚腫或出水
胞漿大盛故下流
間有感冒并雜病
調治須知三禁法
子淋尿澀方兼熱
甚則大小便閉結

或因母病或跌墜
健脾養血總安寧
惡心阻食名惡阻
瘦人多熱肥人痰
甚則悶絕欲傷人
誤藥子死不動能

胎前

妊孕中風名子癇
只因体薄受風寒
轉脬尿閉痛難當
遺尿赤白宜分明　别

胎漏下血腹不痛
血多為熱少為虛
亦有無陰并氣弱
或因胎動别症無
胎水遍身虛浮腫
腹大異常亦堪憂
胎前清熱與養血
月分係經善調燮
甚則口噤痰涎壅
有時昏暈胎難安
子瘖腹鳴自笑悲
甚痘動胎命必絕

中脇

諸症濕痰風熱屠
去邪保胎真口訣

風門

疎風湯　羌活防風當歸川芎赤茯苓陳皮半夏烏藥白芷香附
各八分　桂枝細辛甘草各三分　干

小續命湯　防風一錢半　防己肉桂杏仁黃芩白芍藥人參川芎
麻黃甘草各一錢　附子炮五分　一方無附子防己
有當歸石膏　有熱用白附子　太陽中風無汗
惡寒倍麻黃防風杏仁　有汗惡風倍桂枝白
芍藥杏仁　陽明中風無汗身熱不惡寒倍
桂枝黃芩加葛根一錢四分　太陰中風無汗

身凉附子一倍甘草加三錢二分乾姜加七分　小

陰中風有汗無熱倍桂枝附子甘草　六經混淆

繫之於少陽厥陰肢節攣痛麻木不仁本方一兩

加羌活一錢連翹一錢半　羌活

中臟

三化湯

厚朴大黃枳實羌活各等分右㕮咀一兩一貼水煎服日

二三次微利即止

排風湯

羌活麻黃赤茯令各一錢白朮肉桂川芎杏仁白芍

防風當歸甘草各八分白鮮皮五分　羌活

羌活愈風湯

蒼朮石膏生芐各六分羌活防風當歸蔓荊子

川芎細辛黃芪人參枳殼麻黃白芷甘菊朴下

枸杞子柴胡知母地骨皮獨活杜仲秦艽熟芐茯苓白

芍甘草各四分肉桂二分　千

中血脉 大秦艽湯 秦艽石膏各一錢羌活獨活川芎白芷生芐熟芐
當歸白芍黄芩白伏令防風白朮甘草各七分細辛三分

養榮湯 當歸川芎白芍生芐麥門冬遠志石菖蒲陳皮烏藥
白伏苓只實黄連防風羌活秦艽半夏南星甘草各六
分 干三片竹茹一塊

轉石膏 卽涼膈散加石菖蒲遠志爲末蜜丸彈子大朱砂爲衣
每一丸朴下煎湯和下

懸癰 清神解語湯 半夏南星二味同白礬生薑汁皂角水浸三日晒乾各一錢當
歸川芎白芍生芐麥門冬遠志石菖蒲陳皮白伏令
烏藥只實黄連防風羌活甘草各五分右作一貼
入干三片竹茹一團水煎入童便干汁竹瀝調服

祛風至寶丹 滑石一兩半川芎當歸各一兩二錢半甘草一兩防風白芍各七錢
半白朮六錢半石膏黄芩桔梗熟芐天麻人參羌

活獨活各五錢梔子三錢連翹荊芥朴硝麻黃芒硝大黃黃連黃柏細辛全蝎各二錢半右為末煉蜜丸彈子大每一丸細嚼茶酒任下此乃防風通聖散加九味也

導痰湯合四物湯

口眼喎斜胃

秦艽升麻湯 升麻葛根白芍人參甘草各一錢半秦艽白芷防風桂枝各七分入蓮根葱白三莖水煎食後服

痰頭經

清氣湯 南星木蓮仁荊芥穗貝母陳皮蒼术官桂各一錢黃芩黃連并酒炒甘草各六分沉香木香各五分調

通

犀角升麻湯 犀角一錢半升麻一錢二分半防風羌活各一錢川芎白附子白芷各七分半甘草五分黃芩七分半

右半不遂 加減潤燥湯 白芍酒炒一錢 當歸一錢二分 川芎 白伏令 白术 南星 半夏 天麻各一錢 生地酒炒 熟地 蒼术炒 陳皮鹽洗 牛膝酒洗 黃芩酒炒 山查 杏仁 砂各八分 桃仁 羌活 防風 薄桂各六分 紅花酒洗 甘草炙各四分 黃栢酒炒三分 右剉作二貼 水煎 入竹瀝 干汁 調下

左不仁 芩連二陳湯

右半不遂 祛風除濕湯 白术一錢二分 白伏令 當歸酒洗 陳皮 赤芍 半夏 蒼术 烏藥 只角 羌活 黃連 黃芩并酒炒各一錢 人參 川芎 吉更 防風各八分 白芷七分 甘草炙五分 右剉分二貼 入干五尾 水煎服

右不仁 歸芍六君子湯 調中六君子湯

左右癱瘓 加味大補湯 黃芪蜜炒 人參 白术 白伏令 當歸酒洗 川芎 白芍 熟地 各七分 烏藥酒洗 牛膝 杜冲酒炒 木瓜 防風 羌活 獨活

薏苡仁各五分附子炮沉香木香肉桂甘草各三分

千五

半身不遂
痰涎壅盛

踈風順氣湯 人參防風麻黃羌活升麻吏吉石膏黃芩荊芥穗天麻南星朴下葛根赤芍杏仁當歸川芎白朮細辛皂角各五分入姜五片水煎更入竹瀝半盞服之

導痰湯 半夏二錢南星枳實陳皮赤茯苓甘草各一錢 千五

滌痰湯 半夏南星片千脚各二錢只殼一錢半陳皮赤茯苓各一錢石菖蒲人參竹茹各五分甘草三分 千五

寧神導痰湯 加黃芩黃連枳殼遠志石菖蒲各一寧神加茯令黃連名積熱加香附烏藥沉香木香名順氣加羌活蒼朮防風名袪風

青州白元子 半夏七兩南星三兩白附子二兩川烏五錢為末水浸

如法晒乾又爲末糯米糊和丸梧子大干湯下三五十丸

熱症 **防風通聖散** 滑石一錢七分甘草一錢二分石膏黄芩吉更各七分防風當歸川芎赤芍大黄麻黄朴下連翹芒硝各四分半荆芥白朮山梔炒各三分半

人參羌活散 即敗毒散加天麻防風蔓荆子黄芩朴硝各七分桑白皮七寸干

調氣 **烏藥順氣散** 麻黄陳皮烏藥各一錢半川芎白芷白姜蚕吉更白朮各一錢乾干五分甘草三分干姜

八味順氣散 人參白朮白伏令陳皮青皮烏藥白芷各一錢甘草五分干

風濕 **行濕流氣散** 薏苡二兩白伏令一兩半蒼朮羌活防風川烏炮各一兩右爲末每二錢温酒或葱白湯調下

腰部

大羌活湯 羌活 升麻各一錢半 獨活一錢 蒼朮 防己 威靈仙 當歸 白朮 赤伏苓 澤瀉 甘草各七分

靈仙除痛飲 麻黃 赤芍各一錢 防風 荊芥 羌活 獨活 威靈仙 白芷 蒼朮 黃芩酒炒 枳實 桔梗 葛根 川芎各五分 當歸梢 升麻 甘草各三分

踈風活血湯 當歸 川芎 威靈仙 白芷 防風 防己 黃柏 南星 蒼朮 羌活 桂枝各一錢 紅花三分 干五

踈經活血湯 白芍酒炒一錢半 當歸酒洗二錢二分 生芐酒洗 蒼朮 牛膝酒洗 陳皮 桃仁 威靈仙酒洗各一錢 草龍膽酒洗八分 赤茯苓七分 川芎 防己酒洗 羌活 白芷 防風各六分 甘草四分 干三 空心服 有痰加南星 半夏 上身及臂痛加薄桂三分 下身足疼加木瓜 木通 鹽炒黃柏 薏苡炒 氣虛加人參 白朮 龜板七分 血虛倍四物湯 干炒 酒用紅花一錢

清湿化痰湯　南星 半夏 陳皮 赤伏令 蒼朮 米泔浸 羌活 片芩 酒炒 白芷
白芥子各一錢 木香五分 甘草三分 干湿

臂肩痛　半夏苓朮湯　蒼朮二錢 白朮一錢 半夏 南星 香附 片芩 酒炒各一錢 陳皮
赤伏令各五分 威灵三分 甘草二分 干三片　一方有羌活

舒經湯合二陳湯　羌黃五錢 當歸 海桐皮 白朮 甘草各二錢 半赤爲
羌活各一錢二分半 分二貼

跛偏凡　羌活防風湯　羌活 防風 當歸 川芎 白芍 蒼朮 甘草各一錢 細辛
地榆各五分

陰痓　參歸養榮湯　即八物湯加陳皮一錢

痰痓　瓜蔞只實湯　瓜蔞仁 只實 貝母 梔子 蘇子 吉更 片芩 陳皮 清
伏令 人參 當歸 麥門冬各八分 甘草三分 干湿

瘧門

西藏 大羌活湯 生草 知母 川芎各一錢 羌活 防風 獨活 防己 黃芩 黃連 蒼术 白术各七分 細辛 甘草各五分

太陽 九味羌活湯 羌活 防風各一錢半 蒼术 川芎 白芷 黃芩 生芐各一錢 細辛 甘草各五分 干乙

防風冲和湯 上方 加白术

人參敗毒散 羌活 獨活 前胡 柴胡 桔梗 只殼 川芎 赤伏令 人參 甘草各一錢 朴下小許 干

倉廩散 上方加黃連 蓮子七枚 陳倉米三百粒

陽明　柴葛解肌湯　葛根升麻赤芍白芷吉更石膏柴胡羌活黄芩各一錢甘草五分干呂

白虎湯　石膏五錢知母二錢人參山梔麥門冬各一錢甘草七分粳米半合

小陽　小柴胡湯　柴胡二錢黄芩一錢半人參半夏各七分甘草五分干呂

十味小柴胡湯　柴胡黄芩半夏竹茹山梔桔梗砂仁各一錢茴香五分藿香木香甘草各三分

柴胡選奇湯　加羌活防風半夏各一錢片芩酒炒一錢半甘草一錢

加味小柴胡湯　加山梔牧丹皮各一錢

雙解散　加白芍　白伏令各一戔

柴胡調中湯　黃連　甘草　相㓗　炒爪蔞仁　半夏　相㓗炒各一戔

柴胡瀉白湯　桑白皮　地骨皮各一戔

柴胡四物湯　柴胡　桂芩各二戔　當歸　川芎　赤芍　黃芩各一戔　人參　半夏　甘草各五分

柴胡解毒湯　黃連　黃芩　黃柏　山梔

柴胡涼膈散　連翹二戔　片芩　山梔各七分　吉更　朴下　竹葉　甘草各五分

柴胡竹茹湯　山梔炒三錢　陳皮二錢　竹茹一錢半

柴青瀉肝湯　黃連　青皮各一錢

柴胡勝濕湯　羌活　獨活各三錢　蒼朮　防風　甘草各一錢　川芎　蔓荊子各五分

柴胡三仙湯　車前子炒二錢四分　茴香一錢六分　蔥白一錢二分　洋參八分

柴胡犀角湯　生柴三錢　赤芍二錢　犀角　牧丹皮　膏故　黃芩　黃連各一錢

柴胡推氣湯　羌活　只殼各二錢　桂心　甘草各五分

柴胡芎夏湯 川芎 半夏 赤茯苓各一錢 陳皮 青皮 只殼各五分 白朮 甘草炙各三分半 干五

柴胡甘吉湯 吉更 甘草各二錢

柴胡加介湯 天花粉一錢

柴胡九氣湯 便香三錢 查金七分 甘草三分

解熱下痰湯 蘿子 白芥子 只殼 黃芩 黃連各一錢 黃柏 瓜蔞仁 石古 杏仁各七分 烏梅 薑連各五分 傷寒結胸有痰有熱有氣喘咳嗽大良

柴胡只殼湯 柴胡一錢半 麻黃 杏仁 吉更 只角 黃芩各一錢 半夏 石古 知母 乾葛各七分 甘草三分 治傷寒潮熱胃脘痛作渴咳嗽痰帶氣喘

湯

柴胡竹茹湯　柴胡一錢半　黄芩一錢半　夏　升麻　乾葛　只殼　陳皮　智母　竹茹　各五分　甘草三分　治傷寒潮熱作渴嘔逆不止

柴升麻湯　柴胡一錢半　黄芩一錢半　夏　升麻　乾葛　只殼　桔梗　知母　貝母　杏　參　桑皮　五分　甘草三分　治傷寒咳嗽作声嘶或作咽痛

辰砂六一散

柴胡六君子湯

柴胡桂枝湯　桂枝　白芍

柴陳湯

柴平湯

桔梗湯　吉更巳甬各二錢

柴陷湯　半夏五錢　黃連　瓜蔞仁各二錢

柴苓湯　柴胡一錢六分　澤瀉一錢三分　白朮　猪苓去黒皮　赤伏苓各七分
半夏七分　人參　黃芩　甘草各六分　桂心三分

柴葛湯

十棗湯　大戟　甘遂　芫花微炒各等分為末用大棗十枚水一盞
煎至半去棗調末五分

火邪湯　黒豆一撮

清膈散 柴胡二錢 黄芩一錢半 黄連 山梔炒 赤芍 只實 竹茹各一錢 甘草三分 干朮三匙

發熱門四物湯 當歸 川芎 白芍 熟苄 黄連 山梔 柴胡 牧丹皮 黄栢 知母各一錢

太陰

理中湯 人參 白朮 乾干炮各二錢 甘草炙一錢

治中湯 上方加青皮 陳皮

厚朴半夏湯 干七 厚朴錢三 人參 半夏各一錢半 甘草七分半

少陰

辛黄三白湯 人參 白朮 白芍各二錢 白伏令 當歸各一錢 知母 麻黄各五分 干反

黄連阿膠湯 黄連 阿膠 赤芍各二錢 黄芩一錢 鷄子一个 煎至半去滓乃納膠再一沸又入鷄子黄攪匀服音

四逆湯 炙甘草六錢 乾姜 干五錢 附子生一枚 分二貼 水煎服

四逆散二 柴胡 赤芍 只殼 甘草炙各二錢 爲末 淡米飲調服日

厥陰 當歸四逆湯各一錢 呂 當歸 白芍各二錢 桂枝一錢半 細辛 通草 甘草

陰症 五積散 蒼术二錢 麻黄 陳皮各一錢 厚朴 吉更 只角 當歸 乾干 白芍 白伏令各八分 川芎 白芷 半夏 桂枝各七分 甘草六分 干 葱

人參養胃湯 蒼术一錢半 厚朴 陳皮 半夏各一錢二分半 赤伏令 藿香各一錢 人參 草果 甘草各五分 干 呂

表症 桂支 麻黃 羌活 木瓜

藿香正氣散 霍香一錢半 半夏 桔更 白芷 白朮 白伏令 厚朴 陳皮 大卜皮 甘草炙各五分 蘇葉一錢 干召

不換金正氣散 蒼朮二錢 厚朴 陳皮 藿香 半夏 甘草各一錢 干召

香蘇散 香附 蘇葉各二錢 蒼朮一錢半 陳皮一錢 甘草炙五分 干薑 加川芎 白芷 名芎芷香蘇散

十神湯 香附 蘇葉 乾葛 升麻 赤芍 麻黃 陳皮 川芎 白芷 甘草各一錢 干薑

參蘇飲 人參 蘇葉 前胡 半夏 乾葛 赤伏令各一錢 陳皮 吉更 只角 甘草各七分半 干召

小青龍湯 麻黃 赤芍 五味子 半夏各一錢半 細辛 乾干 桂枝 甘草炙各一錢

裏症

調胃承氣湯 大黃四錢硝芒三錢甘草一錢先煎大黃甘草至半去渣入芒硝再一沸溫服

大柴胡湯 赤芍二錢半大黃二錢只殼一錢半半夏一錢八 柴胡四錢 干呂

三一承氣湯 甘草廿三錢大黃厚朴只殼芒硝各一錢半干

六一順氣湯 大黃二錢只殼厚朴芒硝柴胡黃芩赤芍甘草各一錢干煎至半去滓入鐵銹水三匕調服

陽毒

三黃石膏湯 石膏三錢黃芩黃連黃柏梔子各一錢半麻黃一錢香豉半合 干棗

三黃巨勝湯 即上方加大黃芒硝去麻黃香豉入干呂煎臨熟入泥漿清水二匕調服

煩躁　梔子豉湯　梔子七个　香豉半合　水二盞，先煎梔子至一盞，納豉再煎至七分，去滓溫服。湯吐止再服。

撮空　陶氏升陽散火湯　人參　當歸　赤芍　柴胡　黃芩　白朮　麥門冬　陳皮　赤伏神　甘草各一錢　干呂　熟金同煎服

煩渴　竹茹石膏湯　石膏四錢　人參二錢　麥門一錢半　半夏一錢　甘草五分　竹葉七分　粳米百粒　煎入干汁二匕

痞氣　半夏瀉心湯　半夏二錢　黃芩　人參　甘草各一錢半　乾干一錢　黃連五分　干呂

生干瀉心湯　生干　半夏各二錢　人參　乾干各一錢半　黃連　甘草各一錢　黃芩五分　干呂

惕瞤　人參養榮湯　白芍酒炒二錢　當歸　人參　白朮　黃芪蜜炒　肉桂　陳皮　甘草炙各一錢　熟地　五味子　防風七分半　遠志五分　干呂

瘀血　桃仁承氣湯　大黃三錢 桂心 芒硝各二錢 甘草一錢 桃仁留尖十枚 煎入芒硝服

吐蛔　理中安蛔湯　白朮 赤伏令各一錢 人參七分 乾干炒黑五分 花椒三分 烏梅肉二个

煉症　參胡芍藥湯　生芐一錢半 人參 柴胡 赤芍 黃芩 知母 麥門冬各一錢 只角八分 甘草三分

百合　陶氏柴胡百合湯　鱉甲醋炒二錢 柴胡 百合 知母 生芐 陳皮 人參 黃芩 甘草各一錢 干齿

勞復　麥門冬湯　麥門冬三錢 甘草一錢半 人參一錢 粳米一合 竹葉十五片 先煎粳米令熟入藥煎至一盞溫服

益氣養神湯　當歸 白芍 人參 麥門冬 知母 山梔炒各一錢 白伏神 前胡各七分 陳皮五分 升麻 甘草各各三分 乃

食復　梔豉只黃湯　梔子只殼柴胡各一戔香豉五戔大黃三戔　腹脹加厚朴　傷肉加山查　傷麵加神曲

陰陽易　燒裩散　取近陰処紅襠一尺方圓三寸燒存性温水並服一盃日三次　便即利陰頭微腫即愈　女男互用之

青竹茹湯　瓜蔞根五戔青竹茹二戔

人參逍遙散　人參當歸各二戔柴胡一戔半白朮白芍白伏苓各一戔

無脉　五味子湯　五味子三戔人參麥門冬杏仁陳皮各二戔干五片

昏沉　瀉心導赤散　黃芩黃連山梔知母麥門冬赤伏神犀角人參滑石各一戔甘草五分干呂燈心一握生米汁三匕

狐惑 黃連犀角湯 黃連 犀角 烏梅 桃仁 木香各一钱

差後不食 參苓白朮散 人參 白朮 白伏令 山藥 甘草炙各一钱 薏苡仁 蓮肉 白扁豆 吉更 砂仁各五厘 干呂

不寐 養血清火湯 當皈酒洗 白芍酒炒 黃連酒炒 生芐酒洗 山召仁炒 麥门冬 遠志 各一钱 片芩 山梔炒各八分 川芎七分 朱砂五分調下 甘草三分 干

山召仁湯 山召仁炒二钱 麥门冬 知母各一钱半 赤伏令 川芎各一钱 乾干 甘草炙各二分半

怔忡 竹茹溫膽湯 柴胡二钱 吉更 只角 竹茹 半夏 陳皮 赤伏令各一钱 香附八分 人參 黃連各五分 甘草三分 干呂

火熱勝肺 痰盛咳嗽 清火化痰湯 半夏 陳皮 赤伏令各一钱 吉更 只角 厄蔞仁各七分 山梔 桑白皮 黃芩 黃連 貝母 蘇子 杏仁 芒硝各五分 木香 甘草各三分 干

千金麥門冬湯 麥門冬 生芐 桑白皮各七分 貝母 紫菀茸 吉更 竹茹葉
天門冬各五分 五味子 甘草各三分

動氣虛 理中湯 人參 白朮 乾干炮各二錢 甘草炙一錢

有熱 柴胡桂枝湯 柴胡二錢 桂枝 黃芩 人參 赤芍各一錢半 半夏八分
甘草炙六分

內傷挾外感 陶氏補中益氣湯 人參 生芐 黃芪 當歸 川芎 柴胡 陳皮 羌活 防風
各七分 細辛 甘草各五分 升麻三分 干呂薑

孕婦傷寒 芎蘇散 黃芩 前胡 麥門冬各一錢 川芎 陳皮 白芍 白朮各八分
蘇葉六分 乾葛五分 甘草三分 干薑

黃龍湯 小柴胡湯去半夏合涼血地黃湯 方生芐三錢 當歸 川芎
赤芍一錢半

冒

暑門

消暑敗毒散 即人參敗毒散加香薷二錢黄連夫炒一錢

柴胡香薷飲 即小柴胡湯加香薷干汁晒乾二錢厚朴黄連夫炒各一錢

二香散 香附香薷各二錢蘇葉陳皮蒼木各一錢厚朴白扁豆甘草各五分 干不拘

清暑六和湯 香薷厚朴各一錢半赤伏令藿香白扁豆木瓜黄連夫炒各一錢砂仁半夏杏仁人參甘草各五分 干丘

黄連香薷飲 香薷三錢厚朴一錢半黄連七分半入酒少許水煎沉令服

痰感　消暑化痰湯　即香薷飲合二陳湯

腹痛　薷平湯

泄瀉　薷苓湯　澤瀉一錢三分猪苓赤伏令香薷白朮黃連夫炒白扁
豆厚朴各一錢甘草三分

春澤湯　即四苓散加人參五分

縮脚飲　砂仁一錢半草果烏梅肉香薷甘草各一錢白扁豆乾
葛各七分　下五

咳嗽　清肺湯　地骨皮桑白皮麥門冬各一錢二分杏仁阿膠味馬兜令
猪令柴胡甘草各五分

氣虛　驅暑益氣湯　人參白朮各一錢半白芍麥門冬白伏神各一錢知母
陳皮香薷各七分甘草炙五分黃芩三分

祛暑建中湯 黃芪一錢半 人參 白术 白伏令 白芍 當歸各一錢 木瓜 白扁豆 香薷 陳皮各七分 桂枝四分 甘草二分 千活

清暑益氣湯 蒼术一錢半 黃芪 升麻各一錢 人參 白术 陳皮 神曲 澤瀉各五分 酒黃柏 當歸 青皮 麥門冬 乾葛 甘草各三分 五味子八粒

生脉散 麥門冬二錢 人參 五味子各一錢 或加黃芪 甘草各一錢 或加黃柏三分

暑厥 人參羌活散 合香薷飲

注夏 參歸益元湯 當歸 白芍 熟地 白伏令 麥門冬各一錢 陳皮 知母 黃柏 并酒炒各七分 人參五分 甘草三分 五味子十粒 棗一枚 米一撮

煩渴 人參白虎湯 知母 石膏各一錢半 人參五分 麥門冬 赤伏令 赤芍 山梔 香薷各一錢 白术 陳皮各七分 白扁豆八分 甘草三分 燈心十枚 烏梅肉一个

腹痛吐瀉飽悶不用石膏

嘔　人參竹茹湯　即橘梔竹茹湯加人參一錢

餩　柹蔕竹茹湯　柹蔕三錢　陳皮二錢　山梔　竹茹各一錢

火門

血熱　四順清涼飲　大黄　當歸　赤芍　甘草　炙各一錢二分　中朴下十葉

中焦　白朮除濕湯　白朮一錢三分　生地　骨皮　澤瀉　知母各一錢　赤伏令　人參　柴胡　甘草各八分

上焦　凉膈散　連翹二錢　片芩　山梔　炒各七分　吉更　朴下　竹葉　甘草各五分

下焦

五苓散 澤瀉一錢五分白朮豬苓赤茯苓各一錢肉桂五分

防風當歸飲子 滑石三錢柴胡人參赤茯苓甘草各一錢大黃當歸赤芍防風各五分干

八正散 黃連山梔瞿麥扁蓄木通車前子滑石燈心各一錢

積熱 **三黃湯** 大黃煨黃芩黃連各一錢半

涼膈散 連翹二錢大黃芒硝甘草各一錢朴下黃芩山梔各五分竹葉七片蜜少許

紫雪 黃金十兩寒水石石膏各四兩八錢玄參一兩六錢犀角羚羊角各一兩甘草八錢升麻六錢沉香木香丁香各五錢以水五升先煎黃金及二石至三升入諸藥再煎至一升去滓入芒硝三兩二錢慢火煎以柳枝不住手攪候欲凝入磁盆中更下朱砂麝香末各三錢急攪不住手候冷凝成紫雪每一錢細細嚥又或以井水調下一錢

骨蒸

地骨皮散 地骨皮　秦艽　柴胡　只角　知母　當歸　鱉甲醋炙各一錢　川芎　甘草各五分　入桃柳枝各七寸　干

地仙散 三　地骨皮四錢　防風二錢　人參　甘草　朴下各一錢　竹葉五片　干
一方有麥門冬一錢　烏梅一个　无朴下

人參清肌散 人參　白朮　白伏令　赤芍　當歸　柴胡　乾葛　半夏曲各一錢　甘草五分　干呂
一方有黃芩

五心熱

升陽散火湯 乾葛　升麻　白芍　羌活　獨活　人參各一錢　柴胡　甘草各
各天分　防風五分　甘草四分

火鬱湯 寸　乾葛　升麻　白芍　人參　柴胡　甘草各一錢　防風五分　葱三

陰虛火動

滋陰降火湯 白芍一錢三分　當歸一錢二分　熟芐　麥冬　白朮各一錢　生芐
酒炒八分　陳皮七分　知母　黃柏並鹽水炒　甘草炙各五分　干呂

清離滋坎湯　熟苄乾苄天冬麥冬當歸白芍山藥山茱萸白伏令白朮各一錢牧丹皮澤瀉黄柏知母井蜜水炒甘草炙各三分

補陰瀉火湯　當歸白芍白朮各一錢三分川芎熟苄知母蜜炒天門冬各一錢黄柏蜜炒陳皮各七分生苄酒洗甘草炙各五分乾干炒紫色三分干

滋陰清火湯　即滋陰降火湯加玄參

內傷　氣虛有汗潮熱補中益氣湯无汗潮熱人參清肌散血虛有汗潮熱人參養榮湯无汗潮熱伏令補心湯大病後食減盜汗參令白朮散加黄芪當歸泉脘血益胃升陽湯

食傷

只朮丸　白朮二兩只實一兩為末荷葉裹燒飯和丸梧子大熱水下五七十丸至百丸

香砂平胃散　蒼朮二錢陳皮香附各一錢只實藿香各八分厚朴炒仁各七分香朮甘草各五分干

加味平胃散 即平胃散加神曲麥芽各七分

補益

參朮健脾湯 人參白朮白伏令厚朴陳皮山藥各一錢川芎白芍各

八分神曲麥芽砂仁甘草各五分 水煎

酒傷

對金飲子 合解毒湯或合調中湯乾葛二錢陳皮三錢赤伏令砂仁神

曲各一錢蒼朮厚朴甘草各七分 干

勞倦

補中益氣湯 黃芪一錢半人參白朮甘草各一錢當歸身陳皮各五分

升麻柴胡各三分或加黃栢三分紅花二分

益胃升陽湯 白朮一錢半黃芪一錢人參神曲炒各七分半當歸身陳皮

甘草炙各五分升麻柴胡各三分黃芩二分

脾虛不思食

香砂六君子湯 香附白朮白伏令半夏陳皮白豆蔻厚朴各一錢砂仁

人參木香益智仁甘草各五分 水煎

熱中似白帶症

凝神散 人參白朮白伏令山藥各一錢白扁豆粳米知母生芐甘草各五分地骨皮麥門冬竹葉各三分下品

當歸補血湯 黃芪五錢當歸酒洗二錢

三補只朮丸 白朮二兩陳皮只實各一兩貝母八錢黃芩黃連並酒炒黃柏鹽炒白伏令神曲山查各五錢麥芽香附醋炒各三錢砂仁二錢右為末荷葉煎飯和丸梧子大干湯下七八十丸

吞吐 清鬱二陳湯 半夏陳皮赤伏令香附薑黃連山梔各一錢蒼朮川芎只實各八分白芍炒七分神曲炒五分甘草三分干

嘈雜夜怔忡 當歸補血湯 當歸白芍生芐熟芐各一錢白朮白伏令麥門冬山梔炒陳皮各八分人參五分甘草三分炒米百粒朱砂三分調下烏梅各二个

痰火 養血四物湯 半夏香附貝母赤伏令黃連山梔各三分甘草五分干

調補

參苓白朮散 人參白朮白伏令山藥甘草炙各一兩薏苡仁蓮肉白扁豆吉更砂仁各五分 千呂

瑞蓮丸 山藥炒白朮土炒蓮肉黃連各二兩白伏令陳皮白芍酒炒各一兩人參甘草炙各五錢為末猪肚一个洗淨煮爛搗和丸梧子大空心米飲下百丸無服白雪糕 山藥芡仁蓮肉各四兩粳米糯米各一升為粉砂糖一斤半拌白雪糕任食之

食積似傷寒 陶氏平胃散 蒼朮一錢半厚朴陳皮白朮各一錢黃連只實各七分草果八分神曲山查乾干木瓜甘草各五分 千

食積大便閉 只實大黃湯 大黃二錢厚朴只實賓郎甘草各一錢木香五分

虛勞 八物湯 當歸白芍川芎熟地人參白朮白伏令甘草各一錢 十全大補湯 各一錢 上方加黃芪肉桂

人參養榮湯 白芍酒炒二錢當歸人參白朮黃芪蜜炒肉桂陳皮甘草炙各一錢熟地五味子防風各七分半遠志五分 千呂

熟地[illegible]山藥[illegible]茯神各三兩[illegible]

心

古庵心腎丸 山茱萸 枸杞子 龜板酥炙 牛膝 黃連 丹皮 鹿茸酥炒各一兩 生甘草五錢 朱砂一兩為衣 右為末 蜜丸梧子大 空心鹽湯或溫酒吞下百丸

究原心腎丸 菟絲子三兩酒浸 牛膝 熟地 肉蓯蓉 鹿茸 附子炮 人參 遠志 茯神 黃芪 山藥 當歸 龍骨 五味子各一兩 為末 以浸菟絲子酒煮糊丸梧子大 大棗湯下七九十丸

腎

六味地黃元 熟地八兩 山藥 山茱萸各四兩 澤瀉 牡丹皮 白茯苓三兩 為末 蜜丸梧子大 加肉桂 附子各一兩 名八味元

三一腎氣丸 熟地 乾地 山藥 山茱萸各四兩 澤瀉 牡丹皮 白茯苓各三兩 鎖陽 龜板各三兩 牛膝 枸杞子 人參 麥門冬 天門冬各二兩 知母 黃柏并鹽炒 五味子 肉桂各一兩 為末 蜜丸梧子大 溫酒或鹽湯七九十丸

痢

和中湯 當歸身酒洗 白芍酒炒 白朮 赤茯苓各一錢 陳皮 黃連 黃芩炒各七分 甘草五分 木香三分

霍亂 藿香正氣散 藿香 蘇葉一錢 厚朴 半夏 陳皮 大腹皮 桔梗 白芷 白朮 白茯苓 甘草炙各五分 干姜

木萸湯 木瓜 吳茱萸 食鹽各五錢 右同炒令焦 用瓶盛白沸水三升入藥同煎至二升 冷暖任意服

嘔吐 熱 黃連竹茹湯 黃連干炒 梔子炒黑 竹茹各一錢 人參七分 白朮 赤茯苓 白芍 陳皮 麥門冬 甘草各五分 呂梅

痰 清熱二陳湯 半夏 陳皮 赤茯苓 人參 白朮 竹茹 砂仁 梔子 麥門冬 甘草各一錢 干 呂梅

虛 藿香平胃散 蒼朮二錢 藿香 厚朴 陳皮各一錢半 砂仁 神曲各一錢 甘草炙七分 干 呂

虛久 比和飲 人參 白朮 白茯苓 神曲炒各一錢 藿香 陳皮 砂仁 甘草各五分 陳倉米一合 先以順流水三升泡伏龍肝末 澄清取一升半入藥及干呂煎稍 參日二三遍 納而不吐 陳米飲 附呷之

熱乾 橘梔竹茹湯 山梔炒三錢 橘紅二錢 竹茹一錢半

桑火酬春湯合益元散加童便干汁[illegible]六一順[illegible]

噎嗝 反胃 陳湯厚朴白术木香 湯者參苓白术散 便閉 導滞通幽湯升麻當歸桃仁一钱生地熟地五分甘草紅花一分木香五分 此註本傳抄書恐非噎嗝下註耶

清咽調中利隔湯 生津脈清 咽次脈 生津去

生津補血湯 當歸白芍熟地生地白茯苓各一钱貝母黄連炒枳殼蘇子各七分砂仁沉香水磨取汁各五分干薑煎沉香汁調服

順氣和中湯 陳皮鹽炒香附醋炒梔子干汁炒黑各一钱白术土炒八分白茯苓七分半夏神曲黄連干汁浸晒乾猪膽汁拌炒各六分只角五分砂仁三分甘草炙二分干三長流水入黄土泥攪澄清水煎入竹瀝童便干汁溫服

御藥院平胃散 加入參白茯苓各七分 氣虚四君子湯 便閉芎根童便 血虚者六君子加附子大黄酒哲蘇汁入參湯 與四物湯加童瀝干[illegible]加桃仁紅花 兩虚八物

咳嗽

風寒 三拗瀉白散 桑白皮地骨皮各二钱麻黄不去節杏仁不去皮尖甘草不炙不去皮各一钱干四

嗽　參朮調中湯　桑皮一錢　黄芪八分　人參　白朮　白伏令　甘草各六分　地骨皮　麥門冬　陳皮各四分　青皮二分　五味子二十粒

火　瀉火清肺湯　片芩一錢　梔子　只殼　桑白皮　陳皮　杏仁　赤伏令　蘇子　貝母　麥門冬各八分　沉香五分水磨取汁調服　朱砂五分水飛調服　右作一貼水煎入竹瀝服

氣急　三子養親湯　蘇子　蘿蔔子　白芥子各一錢　紙上微炒　研煎　勿太過飲

喘不臥　千緡導痰湯　半夏七枚炮切作四片　南星　陳皮　赤伏令　只角各一錢　皂角　甘草各一寸并炙　干呂

氣　蘇子導痰降氣湯　蘇子二錢　當歸　半夏各一錢半　南星　陳皮各一錢　前胡　厚朴　只實　赤伏令　甘草各五分　干呂

火　清肺湯　黄芩一錢半　吉更　赤伏令　桑白皮　陳皮　貝母各一錢　當歸　天冬　梔子　杏仁　麥冬各七分　五味子七粒　甘草三分　干呂

哮

解表二陳湯加紫蘇紫菀杏仁麻黃桑白皮貝母吉更各五分

肺痿

門冬清肺飲紫菀二錢黃芪白芍甘草各一錢半人參麥門冬各一錢當歸身六分五味子十五粒

二母清順湯知母蜜炒貝母甘草湯洗各二錢麥冬天冬天花粉當歸身黃芩山梔連翹吉更各一錢人參五分朴硝甘草三分

小調中湯合瀉白散合二母散

積聚與脇同

六鬱湯香附蒼朮神曲梔子連翹陳皮川芎赤伏令貝母只殼紫蘇各一錢甘草五分干

氣

解鬱調胃湯梔子鹽炒當歸酒洗各一錢二分白朮陳皮白伏令各一錢赤芍酒洗生地酒洗炒香附各八分神曲麥芽炒各七分川芎六分桃仁甘草各四分干

血

當歸活血湯 當歸赤芍川芎桃仁各二錢牧丹皮香附烏藥枳殼青皮各八分紅花五分乾干炮桂皮甘草各三分干

有熱

加味柴平湯 柴胡黃芩半夏蒼朮厚朴陳皮青皮山查枳殼神曲三稜蓬朮各七分甘草五分干呂

有積石

消積正元散 白朮一錢半神曲香附枳實玄胡索海粉各一錢赤茯苓陳皮青皮砂仁麥芽山查甘草各七分干

補中益氣湯 加三稜蓬朮青皮黃連香附藿香益知肉桂

青皮湯 青皮一錢三稜蓬朮各七分陳皮神曲各五分玄胡索三分酒黃連炒三分炒山梔仁小茴山查麥芽各三分婦人香附一錢半川芎八分紅花木香各一分

腰之上下分陰陽表小青龍湯裡十棗湯神佑丸氣與脹同葉霖陽常青瀉肝湯陰八味元五苓散加茴香兼服

浮

補中行濕湯 人參白朮各七分 蒼朮陳皮赤茯苓各六分 麥門黃芩各五分 厚朴四分 木香木通各三分 柴胡升麻各二分 干右 食後服

結旧

犀角湯 犀角玄參各一錢 升麻木通各八分 連翹柴胡各六分 沉香射干甘草各五分 芒硝麥冬各四分

道

加減胃苓湯 蒼朮一錢半 陳皮澤瀉 白朮赤茯苓木瓜各一錢 厚朴猪苓檳 檳郎各八分 山查砂仁各七分 香附子炒 大卜皮各六分 甘草灸三分 燈心一圓 干

罢五皮散 桑白皮 地骨皮 茯苓皮 生干皮 大卜皮 蒼朮 白朮 澤瀉 猪苓 青皮 車前子炒 各一錢

水

宗脾飲 蒼朮 白朮 厚朴 赤茯苓 猪苓 澤瀉 香附 砂仁 只角 陳皮 大腹皮 木香另磨汁 各七分 燈心一現 木香調服

脹 氣大 便閉

三和湯 白朮 陳皮 厚朴 各一錢 檳郎 紫蘇 各七分 木通 大腹皮 白伏苓 只壳 海金砂 甘草 各五分 干

小便閉　分心氣飲　方見氣門

通　行濕補中湯　人參黃芩各八分白朮天奴白伏令蒼朮厚朴陳皮各一錢澤瀉麥门各五分氣弱小便迭木通木香下陷柴胡升麻朝滯暮歇也
暮急血虛加當歸川芎白芍黃連干炒去人參朝寬暮急歇
氣虛倍人參白朮朝寬暮急氣血俱虛四雙補之

氣　大正氣散　白朮蒼朮陳皮厚朴藿香半夏各一錢只角檳榔各七分桂枝乾
干甘草各五分干姜

中滿　分消湯　蒼朮白朮陳皮厚朴只實赤伏令各一錢香附猪令澤瀉大腹皮各八分砂仁六分木香三分燈心一團干一

血　人參芎歸湯　川芎三錢當歸半夏各一錢半蓬朮木香砂仁烏藥甘草各一錢人參桂枝皮五靈脂各五分蘇葉四分干姜

石硬　廣朮潰堅湯　半夏一錢半黃連厚朴黃芩益智草豆久當歸各七分陳皮青皮神曲澤瀉柴胡甘草各五分蓬朮吳茱萸升麻各三分紅花二分干

消渴上 不食 清心蓮子飲 蓮肉二錢 赤茯苓 人參 黃芪各一錢 黃芩 車前子 炒麥門
地骨皮 甘草各七分 能食人參白虎湯

生津養血湯 當歸 白芍 生地 麥門各一錢 川芎 黃連各八分 天花粉七
分 知母 黃栢并蜜炒 蓮肉 烏梅 薄荷 甘草各五分

中 黃連猪肚丸 雄猪肚一个 黃連五兩 麥門 知母 天花粉各四兩 為末入
猪肚内以線封口蒸爛搗入蜜丸梧子大米飲下百丸

下 加減八味元 即六味地黃元加附子 肉桂 去附加五味子 或十全大補湯去桂倍地黃
加知栢 或單滋補湯養脾則津液自生 即參苓白朮散是也

通 滋陰養榮湯 當歸二錢 人參 生地各一錢半 麥門 白芍 知母 黃栢并
蜜炒各一錢 甘草五分 五味子十五粒

上通 玉泉散 合四物湯 天花粉一錢 乾葛 麥門 生地 五味子 甘草各一錢 糯米一合

黄疸加減胃苓湯 去桂加藿香半夏大卜皮山查蘿蔔子三稜莪朮青皮 各五分 干呂

酒閃 梔子大黄湯 梔子大黄各三錢只實一錢豉一合或傷酒麵稀所燒灰水氣虛 四君子血虛四物合四苓加茵陳麥門俱虛人參養榮湯

女勞 腎疸湯 蒼朮一錢升麻羌活防風藁本獨活柴胡乾葛白朮各五分 猪苓四分澤瀉神曲人參甘草各三分黄芩黄柏各二分

適 退黄散 柴胡升麻黄芩黄連黄柏山梔木通滑石草龍膽茵 陳燈心甘草各一錢

精

遺 黄連清心飲 黄連生地當歸赤伏神山乃仁遠志麥門人參蓮肉甘草 各五分每五錢水煎服

痿

歸元散 人參白术白伏令遠志山仔仁炒麥门黄栢知母芥童便炒鶴頭紫
連花蕋枸杞子陳皮川芎各五分升麻甘草各三分半連回芬仔子一枚

保精湯 當歸川芎白术生地干炒麥门黄栢酒炒知母蜜炒黄連干炒梔子童
便炒乾干炒黑牡蠣煆山茱萸各五分

湿痰

加味二陳湯 半夏赤伏令鹽炒梔子炒黑各一戔半陳皮白术吉便升麻酒炒柴
胡酒炒甘草各一戔石菖蒲七分知母黄栢各三分干

氣

七

四七湯 半夏二戔赤伏令一戔六分厚朴一戔二分蘇
葉八分干石

分心氣飲 蘇葉一戔二分甘草炙七分半夏只角各六分陳皮青皮木通大皮桑
白皮木香赤伏令檳郎蓬术麥门吉更桂皮香附藿香各五分燈心十茎干石

九

神仙九氣湯 香附干黄甘草炙等分為末每二戔鹽湯調服

正氣天香湯 香附三錢烏藥陳皮蘇葉各一錢乾干甘草各五分香附
倍入　各細抹天香湯

上

蘇子降氣湯 半夏曲蘇子炒各一錢肉桂陳皮各七分半當歸前胡厚朴
甘草炙各五分蘇葉五分干石

沉香降氣湯 香附四錢甘草炙一兩二錢砂仁五錢沉香四錢右爲末每
二錢蘇鹽湯調下

道

退熱清氣湯 柴胡陳皮赤茯苓各一錢半夏只殼各八分香附七分川芎
五分砂仁七粒木香甘草炙各三分干

痛

流氣飲子 大下皮一錢陳皮赤茯苓當歸白芍川芎黄芪只實防風半夏甘
草各七分半蘇葉烏藥青皮桔梗各五分木香二分半干西

三和散 川芎一錢沉香紫蘇大下皮羌活木瓜各五分木香白朮檳榔陳
皮甘草炙各三分

復元通氣散 白丑豆末二錢 茴香炒 穿山甲糖火煨 ……各一兩半 陳皮去白
胡索 甘草炙各一錢 木香五錢 右細末 每二錢 千湯或溫酒調下

盃

交感丹 香附一斤 長流水浸三日取炒 赤伏神四兩 右搗爲末 蜜丸彈子大
每一丸細嚼 以降氣湯下

上下分消導氣湯 只角 吉更 桑白皮 川芎 赤伏令 厚朴 青皮 香附各二兩
黃連干炒 半夏 瓜蔞仁 澤瀉 木通 檳榔 麥芽各一兩 甘草
炙三錢 右剉 每一兩 干三 煎服 或爲末 神曲糊和丸 白湯下七八
十丸 名分消丸

神

驚悸

朱砂安神丸 黃連六錢 朱砂五錢 甘草 乾生地酒洗各三錢半 當歸酒洗二錢
半 爲末 湯浸蒸餅丸黍米大 津嚥下二三十丸

[illegible]

清心補血湯 人參一錢二分 當歸 白芍酒洗 赤伏神 山棗仁炒 麥門各一錢 川
芎 生地 陳皮 山梔炒 甘草炙各五分 五味子十五枚

宗

養血清火湯 當歸酒洗 白芍酒炒 生芐酒洗 山棗仁炒 麥門 遠志 黃連酒炒 各
一錢 黃芩 山梔炒 各各八分 川芎七分 朱砂五分調下 甘草三分 干

醒心散 合小調中湯 人參 麥門 五味子 遠志 石菖蒲 赤伏神 生芐 瓜仁半[illegible]相
浸炒 黃連 甘草 相浸炒 各一錢

怔忡

四物安神湯 當歸 白芍 生芐 熟芐 人參 白朮 赤伏神 山棗仁炒 黃連炒 梔
子炒 麥門 竹茹 各七分 朱砂另研五分 棗二枚 米一撮 梅一 朱砂調服

健忘

定志元 人參 白伏令 赤伏神 各三兩 石菖蒲 遠志 各二兩 朱砂一兩內半
爲蜜化梧子大 米湯下五七十化 衣

聰明湯 白伏神 遠志 石菖蒲 各等分 每三錢 水煎服 或爲末 每二錢
茶湯點服 日三

歸脾湯 當歸 龍眼肉 山棗仁炒 遠志 人參 黃芪 白朮 赤伏神 各一錢 木
香五分 甘草三分 干石

癲癇

追風祛痰丸　半夏末六両二分，以一分皂角汁浸作曲，一分干浸汁作曲。南星三両，製一半白礬水浸一宿，一半皂角浸一宿。防風、天麻、白僵蚕炒、白附子煨、皂角炒各二両，全蝎炒、白礬枯、木香各五錢。為末，干汁糊和丸梧子大，朱砂為衣，干湯吞下七八十丸。

龍腦安神丸　癲　白伏苓三両，人參、地骨皮、麥門、甘草各二両，桑白皮、犀角各一両，牛黄五錢，龍腦、麝香各三錢，朱砂、馬牙硝各二錢，金箔三十五片。為末，蜜丸梧子大，金箔為衣，每一丸，冬温水、夏涼水化下。

滋陰寧神湯　當歸、川芎、白芍、熟苄、人參、赤伏神、白朮、遠志、南星各一錢，山石仁炒、甘草各五分，黄連酒炒四分，干丁。

清心温膽湯　陳皮、半夏、赤伏苓、只實、竹茹、白朮、石菖蒲、黄連干炒、香附、當歸、白芍各一錢，麥門八分，川芎、遠志、人參各六分，甘草四分，干三片。

碩頭丸　碩頭一介燒存性，[illegible]、皂莢酥炙各五錢。為末，糯米糊和丸綠豆大，飲下二三十丸。

蝙蝠散 蝙蝠一个以朱砂三錢填入腹內新瓦上火炙令酥為度候冷
為末分作四服年幼分五服空心白湯下

寧神導痰湯 合小調中湯

癲狂

當歸承氣湯 大黃當歸各二兩芒硝七錢甘草五錢右剉每一兩下五右
十水一碗煎至半去滓溫服

黃芩二兩黃連知母芒生各一兩甘草五錢右剉每五錢

黃連瀉心湯 水煎服

大黃一兩龍腦朱砂牛黃各一錢為末每服三錢生干沐

牛黃瀉心湯 和蜜水調下

天王補心丹 乾苄酒洗四兩黃連酒炒二兩石菖蒲一兩人參當歸酒洗
五味子天門冬麥門冬柏子仁山棗仁炒玄參白伏神丹參桔更
遠志五錢為末蜜丸梧子大朱砂為衣臨卧以燈心竹葉煎湯

衄

血

陶氏生地芩連湯 生芐 黃芩 黃連 山梔 川芎 赤芍 柴胡 吉更 犀角 甘草各一錢 干石煎以藕汁磨墨汁調服

犀角地黃湯 生芐三錢 赤芍 牡丹皮各一錢半 當歸 黃芩 黃連 犀角各一錢

吐

茯苓補心湯 白芍二錢 熟地一錢半 當歸一錢三分 白伏令 川芎 人參 前胡 半夏各七分 陳皮 吉更 只殼 乾葛 蘇葉 甘草各五分 干石

清熱解毒湯 升麻二錢 生芐一錢半 黃柏 赤芍 牡丹皮各七分 乾葛 黃芩 黃連 吉更 梔子 連翹 甘草各五分 干

氣上奔 脇膈疼

降氣調血飲 只角三錢 青皮二錢 吉更 生芐 木通 木香 牡丹皮各一錢半 桃仁 寸人介 川芎 黃芩 黃連各一錢 甘草三分 干三

咳

清肺湯 赤伏令陳皮當歸生地赤芍天門麥門黃芩梔子紫菀阿膠珠桑白皮各七分甘草三分 烏梅

清火滋陰湯 天門麥門生地牡丹皮赤芍黃連山梔山藥山茱萸澤瀉赤伏令甘草各七分 入童便服

玄霜雪梨膏 烏梅梨汁柿霜白砂糖白蜜萸冬藤汁各四兩生地汁兩赤伏令末八兩用人乳浸晒九次款冬花紫菀末各二兩共入砂鍋內熬成膏丸彈子大每一丸臨臥含化嚥下

尿

八正散 方見火門

四物五苓散

龍膽瀉肝湯 龍膽柴胡澤瀉各一錢木通車前子赤伏令生地當歸芥酒洗山梔仁黃芩甘草各五分

便　平胃地榆湯　蒼朮　升麻　附子炮各一錢　地榆七分　乾葛　厚朴　白朮　陳皮
赤茯苓各五分　乾干　當歸　神曲炒　白芍　益智仁　人參　甘草炙各三分　干后

清臟湯　生地一錢　當歸酒洗　地榆各八分　黄芩　山梔炒黑　黄柏炒各七分　白
芍　黄連　側柏葉　阿膠珠各六分　川芎　槐角炒各五分

清榮槐花飲　當歸　白芍　生地　槐花炒各一錢　槐角　黄連酒炒　蒼朮
荊芥各八分　枳殼　條芩酒炒各七分　川芎　防風各六分　升麻　甘草
各四分

汗　黄芪建中湯　白芍五錢　桂枝三錢　黄芪　甘草各一錢　黑糖半盞

九竅　十全大補湯　八物湯加黄芪　肉桂

脇痛　生地芩連湯　二錢　生地　當歸　川芎各一錢半　赤芍　山梔　黄芩　黄連各七分　防風

聲音

腎虚 人參平肺散 人參當歸川芎白芍熟地白伏令兔絲子五味子杜仲巴戟橘紅半夏曲各六分牛膝白朮破故紙胡芦巴益智甘草各三分石菖蒲二分干石煎五更腎開不許吱唔言語默服

外 荊蘇湯 荊芥紫蘇木通橘紅當歸粹桂石菖蒲各一錢

柴胡外麻湯 柴胡外麻黃芩半夏乾葛芍芎羌更知母貝母玄參桑白皮甘草各七分干

津液

自汗 玉屏風散 二分 白朮二錢半防風黃芪各一錢

小建中湯 加黃芪治虛勞自汗加當歸治血虛自汗加桂枝附子治汗漏不止

盗汗 當歸六黄湯 黄芪二錢生地熟地當歸各一錢黄芩黄連黄柏各七分

痰飲

風 導痰湯

青州白元子 半夏七兩南星三兩白附子二兩川烏五錢為細末清水浸春五夏三秋七冬十朝夕換水取納生絹袋濾其滓再研濾過以盆為度澄清去水曬乾又為末以糯米糊和丸菉豆大姜湯各下三五十丸

熱 小調中湯 瓜蔞仁半夏相浸炒黄連甘草相浸炒各一錢

大調中湯 即上方加八物湯

清熱導痰湯 黄芩黄連瓜蔞仁南星炮半夏陳皮赤伏令吉更白术人參各七分只實甘草各五分生姜煎和竹瀝千汁

清氣化痰丸 半夏二兩 陳皮 赤伏令各一兩半 黄芩 連翹 梔子 桔梗 甘草各一兩 朴硝 荊芥各五錢 爲末 干沐糊和丸梧子大 干湯下五十丸

黄芩利膈丸 生黄芩 炒黄芩各一兩 半夏 黄連 澤瀉各五錢 南星 枳只角 陳皮各三錢 白术二錢 白苓一錢 萊菔子五錢 皂角一錢 爲末 蒸餅和丸梧子大 白湯下五十丸

盍

瓜蔞枳桔湯 瓜蔞仁 枳只 桔梗 片芩 山梔 陳皮 赤伏令 當歸 人參 麥門 貝母 蘇子各八分 甘草三分 竹瀝 干汁 干

霞天膏 南星 半夏燥之 橘紅 只角散之 伏令 豬苓滲之 黄芩 黄連降之 附子添通之 竹瀝 瓜蔞潤下之 虛損非補藥中加之 以去痰積

氣

加味四七湯 半夏 陳皮 赤伏令各一錢 神曲炒 枳只 南星炮各七分 青皮 厚朴 紫蘇 檳榔 砂仁各五分 白豆久 益智仁各三分 干

食

正傳加味二陳湯 山查二錢 半香附 半夏各一錢 川芎 白术 蒼术各八分 橘紅 纸赤伏令 神曲炒各五分 砂仁 衍 麥芽炒各五分 甘草炙三分 干石

啟

清火化痰湯 方見寒門

埋

竹瀝達痰丸 半夏陳皮白朮微炒白伏令大黃酒蒸黃芩酒炒各二兩人參甘草一錢各一兩半青礞石焰硝各一兩同煅如金色沉香五錢為末以竹瀝大一碗半干汁三匙拌晒乾如此五六次竹瀝干汁和丸小豆大每丸百臨卧白湯干湯下

開氣清痰湯 言更香附白干蚕炒各一錢陳皮尾黃芩只角各七分前胡半夏只殼桔梗荊芥實郎射干威靈仙各五分甘草木香各三分干下

飲

六君子湯 半夏白朮各一錢半陳皮白伏令人參各一錢甘草炙五分干右

芎夏湯 方見寒門

滾痰丸 大黃酒蒸黃芩各八兩青礞石焰硝各一兩同入罐內蓋定鹽泥固濟晒乾火煅紅候冷取出以礞石金色為度沉香五錢為末滴水丸梧子大茶清溫水下四五十丸服藥少頃臨卧送下至咽便

便仰卧藥在咽膈之下徐徐而下

竹瀝枳朮丸 半夏南星以白礬皂角生干同煮半日去皂干焙乾枳實
片芩陳皮蒼朮泔浸鹽水炒山查白芥子炒白伏令各一兩
黃連干炒當歸酒洗各五錢為末神曲六兩作末干汁竹瀝一
盞煮糊和丸梧子大淡干湯或白湯下百丸

涼膈調中湯 涼膈散合小中調湯

清上補下丸 生芐四兩山藥山茱萸各二兩白伏令牧丹皮五味子天冬
麥門冬杏仁石薏仁吉更枳實貝母半夏瓜蔞黃芩酒
炒黃連干炒各一兩半甘草五錢末蜜丸梧子大每五七十丸干湯或白湯下

頭 腎虛玉真丸 硫黃二兩石膏半夏硝石各一兩為末干汁和丸梧子大四十丸下
七情胡芎芷散菊芎芷乾干三錢普分為末每二錢干湯或酒調服

婦

養血祛風湯 當歸川芎乾芐防風荊芥羌活細辛藁本石膏蔓荊子
半夏旋覆花甘草各五分干召

痰暈 **清暈化痰湯** 半夏 陳皮 白伏令各一錢 只實 白朮各七分 川芎 黄芩 白芷 羌活 人參 南星炮 防風各五分 細辛 黄連 甘草各三分 干煎服 或末子糊丸服

虛暈 **滋陰健脾湯** 白朮一錢半 陳皮鹽水洗 半夏 白伏令各一錢 當歸 白芍 熟地黄各七分 人參 白伏神 麥門 遠志各五分 川芎 甘草各三分 干召

正 **川芎茶調散** 薄荷二兩 川芎 荊芥穗各一兩 羌活 白芷 甘草各五錢 防風 細辛各二錢半 為二錢 茶清調下

清上蠲痛湯 當歸 川芎 羌活 獨活 防風 白芷 柴胡 麥門各一錢 黄芩一錢半 蔓荊子炒 甘菊各五分 細辛 甘草各三分

痰厥 **半夏白朮天麻湯** 半夏 陳皮 麥芽炒各一錢半 白朮 神曲各一錢 蒼朮 人參 黄芪 天麻 白伏令 澤瀉各五分 乾干三分 黄栢酒洗二分 干召

氣厥 **順氣和中湯** 黄芪蜜炒一錢半 白朮 人參 當歸 赤芍 陳皮各五分 升麻 柴胡各三分 蔓荊子 細辛 川芎各五分

血厥 當歸補血湯 乾芐酒炒 白芍 川芎 當歸 片芩酒炒各一錢 防風 柴胡 蔓荊子各五分 荊芥 藁本各四分

氣血厥 加味調中益氣湯 黃芪一錢 人參 蒼朮 甘草各七分 陳皮 當歸 川芎各五分 木香 升麻 細辛 蔓荊子 柴胡各三分

熱厥 防風通聖散 方見寒門

眉稜 選奇湯 方見寒門

左 加味二四湯 加防風 蔓荊子 細辛 荊芥 朴下 柴胡 黃芩酒炒各一錢

右 加味二陳湯 加川芎 白芷 防風 荊芥 朴下 升麻各一錢

面

陽明氣血盛則身前熱，風熱上冲，面獨熱，先以調胃承氣湯加黃連、犀角，下二三行，次以葛根湯加黃連、朴下、川芎、荊芥。調寒湿上逆，面反不耐寒，現以附子理中湯數服，次以葛根湯去芍，加參、芪、益知、草豆久、白芷、葱白。

腫虛　升麻胃風湯　升麻二錢　白芷一錢二分　當歸　乾葛各一錢　蒼朮一錢　甘草一錢半　麻黃不去節五分　藁本　羌活　柴胡　黃柏　草豆蔻各三分　生薑　棗子

犀角升麻湯　二分　千石　方見風門

腫熱　防風通聖散　方見風門

瘡　清上防風湯　防風一錢　連翹　白芷　桔梗各八分　片芩酒炒　川芎各七分　荊芥　山梔　黃連酒炒　枳殼　薄荷各五分　甘草三分　入竹瀝

眼

內障　滋陰地黃丸　熟地黃一兩　柴胡八錢　乾地黃酒焙七錢半　當歸酒洗　黃芩各五錢　天門　地骨皮　五味子　黃連各三錢　人參二錢　枳殼　甘草炙各二錢　為末　蜜丸綠豆大　每百丸　茶清下

滋腎明目湯　當歸川芎白芍熟生芐各一錢人參桔梗梔子黃連白芷蔓荊子甘菊甘草各五分茶一撮燈心一團

冲和養胃湯　黃芪羌活各一錢人參白朮升麻乾葛當歸甘草炙各七分柴胡白芍各五分防風白茯各三分五味子二分乾干一分煎至半入黃芩黃連各五分再益數沸去渣溫服食後

當歸湯　柴胡二錢生芐一錢半當歸白芍各一錢黃芩黃連並酒浸各七分半甘草炙五分

瀉熱黃連湯　合四物湯　柴胡草龍膽生芐黃芩黃連各一錢升麻五分

外障

涼血撥雲散　生芐三錢柴胡二錢當歸川芎赤芍各一錢半羌活防風甘草各一錢

洗眼明目湯　當歸尾川芎赤芍生芐黃芩黃連山梔石膏連翹防風荊芥朴下羌活薄荷蔓荊子甘菊白蒺藜草決明桔梗甘草各五分

四物龍胆湯 當歸川芎赤芍熟地各一錢三分羌活防風各八分草龍胆防己各六分

柴胡湯 柴胡赤芍川芎當歸青皮草龍胆梔子連翹各一錢甘草五分

雀目 平胃四物湯

耳

鳴 通明利氣湯 貝母一錢二分陳皮一錢黃芩黃連并酒浸猪膽汁拌炒黃栢酒炒梔子炒玄參酒洗各七分蒼术鹽炒白术香附乾芊干炒賓郎各五分川芎四分木香二分半甘草二分入干煎入行

聾 防風通聖散 裡五已脈

痛　蔓荊子散　蔓荊子　赤伏令　甘菊　前胡　生地　麥門　桑白皮　赤芍　木通　升麻　甘草各七分　千石

荆芥連翹湯　荆芥　連翹　防風　當歸　川芎　白芍　柴胡　只角　黃芩　梔子　白芷　吉更各七分　甘草五分

痒　玄參貝母湯　防風　貝母　天花粉　黃柏鹽炒　白伏令　玄參　白芷　蔓子　天麻　半夏各一錢　甘草五分　千

鼻淵　黃連通聖散　加黃連酒炒一錢

塞　麗澤通氣散　黃芪一錢　蒼朮　羌活　獨活　防風　升麻　乾葛各七分　甘草炙五分　麻黃　川椒　白芷各三分　千石　葱

瘡　黃芩湯　生芩酒炒　梔子酒炒　吉更　赤芍　桑白皮　麥門　荆芥穗　朴下　連翹各一錢　甘草三分

齒衄　清胃四物湯　當歸　川芎　赤芍　生地　片芩酒炒　紅花酒炒　赤茯苓　陳皮各一錢　甘草五分　入竹茹煎細五更時不一氣服

口

瘡　回春涼膈散　連翹一錢二分　黃芩　山梔　黃連　吉更　朴下　當歸　生地　赤芍　只角　甘草各七分

重元　柴胡清肝湯　升麻二錢半　生地二錢　當歸　黃連　牧丹皮各一錢半　柴胡　黃芩各一錢　山梔七分　川芎六分　甘草三分

舌腫　清熱如聖散　連翹一錢半　惡實　黃連各一錢　天花粉　梔子仁各七分　只　亮　柴胡　荊芥　薄荷各五分　甘草三分　燈心一團

勞　琥珀犀角膏　山棗仁　赤茯神　人參各二錢　犀角　琥珀　朱砂各一錢　龍腦一字　細末　蜜丸彈子大　每一丸　麥門湯化服　日三五

清胃瀉火湯 黃芩 黃連 山梔 升麻 玄參酒洗 連翹 吉更 生某各一錢 乾葛七分 朴下五分 甘草二分

咽喉

喉風冰梅 化南星五个 半夏五个 皂角 白礬 食鹽 防風 檳朴各四兩 吉更二兩 畧飛 梅百个 先以鹽水浸化後各藥研入水拌入梅浸過三晡 晒水乾入磁器封霜 起綿裹噙

常熱 涼膈散加黃連 石膏 荊芥 或通聖散

加減涼膈散 合四物湯

清涼散 吉更一錢半 連翹 黃芩 山梔 黃連 防風 只角 當歸 生地 甘草各七分 朴下 白芷各三分 燈心一團 細茶一撮

加味四物湯 吉更 甘草各一錢半 熟地 白芍各七分 當歸 川芎 黃柏蜜炒 知母 天花粉各五分 入竹瀝一種調服

必用方甘吉湯 吉更二錢 甘草 荊芥 防風 黃芩 朴下 玄參酒洗各一錢 琥珀 犀角 杏青通用

頸項　四首散　烏藥順氣散加羌活獨活木瓜各一錢

羌活勝湿湯　方見寒門

背一占痛　三合湯　烏藥順氣散合二陳湯香蘇散

龜　羌活勝湿湯　合二陳湯羌活獨活各一錢蒼朮木防風甘草各一錢川芎
蔓荊子各五分

枳角丸　只角防風獨活大黃前胡麻黃各三錢為末麵糊和丸黍米大
米飲吞下二十丸

滾痰丸　方見痰門

脇

清熱鮮盃湯 山梔炒黑一錢半 只角 川芎 香附各一錢 黃連炒 蒼朮各七分 陳皮 乾干炒黑 甘草炙各五分 干

行氣香蘇散 香附 蘇葉 麻黃 陳皮 烏藥 蒼朮 川芎 羌活 只角 甘草各一錢

芎朮羌梔二陳湯 陳皮二錢 川芎 蒼朮米泔浸 乾干炮 梔子炒 半夏 赤伏令各一錢 甘草五分 干

九氣只更湯 香附三錢 吉更 只角各二錢 盃金七分 甘草三分

神仙九氣湯 正氣天香湯 紺珠天香湯 已上見氣門

鮮盃和中湯 陳皮一錢二分 香附 赤伏令 只角 梔子炒各一錢 半夏 前胡各七分 黃連干炒 神曲炒 厚朴 青皮 蘇子炒各五分 甘草二分 干

痓

柴吉半夏湯　柴胡二錢黃芩半夏瓜蔞仁吉更只角各一錢青皮杏仁各八分甘草四分干

熱痛　柴陷湯　胃心　清膈散　二方見寒門

乳下不　通草湯　吉更二錢瞿麥柴胡天花粉各一錢通草七分木通青皮白芷赤芍連翹甘草各五分　更摩乳房

癰未　神效瓜蔞散　瓜蔞大者一个去皮焙為末子多者有力當歸酒浸焙各五錢乳香没藥并另研為末各二錢半右為末好酒三升於銀石器內熬至　去滓分三食良久服

已膿　加味芷貝散　白芷貝母天花粉金銀花皂角刺穿山甲土炒當歸尾瓜蔞甘草節各一錢酒水相半煎服

十六味流氣飲　蘇葉一錢半人參黃芪各一錢川芎肉桂厚朴白芷防風烏藥檳榔白芍只角木香甘草各五分青皮一錢

清肝解毒湯 當歸 白朮各一錢 貝母 白芍 赤伏令 紅花 梔子各七分 人參 收
丹皮 陳皮 甘草 川芎各五分

立效散 銀花 青皮各三錢 石膏 瓜蔞仁 甘草節各一錢半
治氣血俱虛 鍾乳粉二錢 漏芦煎湯調服 下乳汁最妙

腹

芍藥甘草湯 白芍四錢 甘草炙二錢

開鬱導氣湯 香附 蒼朮 川芎 白芷 赤伏令 滑石 梔子 神曲炒各一錢 乾干
炮 陳皮各五分 甘草三分

火

散火湯 黃連 赤芍 并炒 山梔 只殼 陳皮 厚朴 香附 川芎各一錢 木香 茴香 砂
仁各五分 甘草三分

疝

活血湯 當歸尾 赤芍 桃仁 牡丹皮 玄胡索 烏藥 香附 只角各一錢 紅花 木
香 官桂各五分 川芎七分 甘草二分

虫　椒梅湯　烏梅　花椒　檳郎　只殼　香附　木香　砂仁　川楝子　肉桂　厚朴　乾干
甘草各等分

腰　五積散　方見前門

痰

調榮活絡湯　當歸　桃仁　大黃　牛膝各二錢　川芎一錢半　赤芍　紅花　生地　羌
活各一錢　桂枝三分

脅　一云八物湯加青皮　木香　桂心　有火去桂加連　梔　左脅　當歸龍薈丸　左瘀　桃仁承氣湯
右情流氣飲子　兩脅　當歸龍薈丸加羌黃　桃仁各五錢　或作湯用也

左　疏肝飲合二陳湯　黃連　吳茱萸　煎汁炒　半夏各二錢　柴胡　當歸各一錢半
桃仁　只角　陳皮　赤伏令各一錢　川芎　白芍各七分　紅花五分

平肝流氣飲　當歸　酒洗　橘皮　鹽湯洗　赤伏令各一錢　白芍　酒炒　黃連　酒炒　山梔　鹽炒　香附
八分　柴胡　厚朴各七分　川芎　半夏　青皮　醋炒各六分　吳茱萸　煮三次炒
甘草　炙各四分　干

柴胡清肝湯 柴胡二錢 山梔一錢半 黄芩 人參 川芎 青皮各一錢 連翹 吉更各八分 甘草五分

右 推氣散 方見脇門

芎夏湯 川芎 半夏 赤伏令各一錢 陳皮 青皮 只角各五分 白木 甘草炙各二分半 干

左 柴胡芎歸飲 柴胡 川芎 白芍 青皮 只角各一錢半 草龍胆 香附 當歸 木香 砂仁 甘草各五分 干

斑

癍 消癍青黛飲 黄連 石膏 知母 柴胡 玄參 生地 山梔子 犀角 青黛各一錢 人參 甘草各五分 干入苦酒一匕

癮

化瘫湯　即人参白虎湯

清肌散　即敗毒散加天麻朴下蝉退

防風通聖散　或去石膏

外麻葛根湯　加牛子荆芥防風

凉血飲　湯　外麻葛根湯合凉血地黄

丹

藍葉散　乾葛外麻赤芍生地川芎杏仁知母柴胡白芷甘草各一戔石膏山梔各五分藍葉一戔

犀角消毒飲　鼠粘子四戔荆芥防風各二戔甘草一戔犀角一戔半另水磨取汁調服

荆防敗毒散　加荆芥防風連翹金銀朴荷各一戔

本

加味八仙湯 白朮酒浸四錢 赤伏令一錢 白芍 熟苄酒浸 陳皮 半夏 川芎各七分 人參 牛膝 秦艽各六分 羌活 防風各五分 甘草 柴胡各四分 桂枝三分 當歸酒浸七分

肉㑊 參苓元 人參 石菖蒲 遠志 赤伏令 地骨皮 牛膝酒浸各一兩 為末蜜丸梧子大 米飲下三五十丸

足濕熱 清熱瀉濕湯 蒼朮 黃柏鹽酒炒各一錢 蘇葉 赤芍 木瓜 澤瀉 防己 檳郎 枳殼 香附 羌活 甘草各七分 痛加木香 腳 加大卜皮 熱加黃連大黃

當歸拈痛湯 羌活 茵蔯酒炒 黃芩酒炒 甘草炙各一錢 知母 澤瀉 赤伏令 猪令 白朮 防己各六分 人參 苦參 升麻 乾葛 當歸 蒼朮各四分 清水煎服

骨痛 羌活續斷湯 羌活 防風 白芷 細辛 杜仲 牛膝 秦艽 續斷 熟苄 當歸 白芍 人參 赤伏令 桂心 川芎各五分 干

三陽 加味敗毒散 加大黃 蒼朮各一錢

風濕 檳蘇散 干葱 蒼术二錢 香附 蘇葉 陳皮 木瓜 檳郎 羌活 牛膝各一錢 甘草五分

痿躄 加味蒼栢散 蒼术一錢 白术八分 知母 黄栢 黄芩各六分 當歸 赤芍 生芐各四分 木瓜 檳郎 羌活 獨活 木通 防己 牛膝各三分 甘草一分 干

麻軟 加味二妙丸 蒼术泔浸四兩 黄栢酒浸二兩 牛膝 當歸尾酒洗 萆薢 防己 龜板酥炙各一兩 為末 酒麪糊丸梧子大 干鹽湯下

痿厥 清燥湯 黄芪 白术各一錢半 蒼术一錢 陳皮 澤瀉各七分 赤伏令 人參 升麻各五分 生芐 當歸 猪令 麥門 神曲 甘草各三分 黄栢 黄連 柴胡各二分 五味子九粒

前陰 腎 加味五苓散 茱 木香 茴香 川練子 檳郎 黑丑 破故紙 木通 青皮 三稜 莪术 蘄术 蚕下 青木香 元方 黑丑頭末三兩 破故紙 萆薢 茴茄各二兩 檳郎一兩 青木香一兩 為末 化梧子大

蟠葱散 蒼术 甘草各一錢 三稜 莪术 白伏令 青皮各七分 砂仁 丁香 皮 檳郎各五分 玄胡索 肉桂 乾干各三分 葱

龍胆瀉肝湯 草龍胆柴胡澤瀉各一錢木通車前子赤伏令生地黄當歸並酒洗山梔仁黄芩甘草各五分

三疝湯合四苓散 車前子炒二錢四分茴香一錢六分葱白一錢二分沙參八分

茱萸内消丸 山茱萸吳茱萸川楝子馬蘭花青皮陳皮茴香山藥肉桂各二兩木香一兩酒糊丸梧子大酒下五十丸

烏附通氣湯 烏藥香附當歸白芍山查陳皮各一錢白朮七分赤伏令澤瀉各五分猪令木香甘草各三分

後陰清熱槐花飲 方見血門

秦艽蒼朮湯 秦艽皂角仁桃仁泥各一錢蒼朮防風各七分黄柏酒洗五分當歸酒洗澤瀉檳郎赤各三分大黄二分右除檳郎桃仁皂角仁外餘藥水二盞煎至一盞二分去查

入三味再煎至一盞空心熱服以美食壓之

小便不通 八正散 加木香 或汗血多人參養榮湯 並腎八味丸 胃弱四君子加黃芪升麻 脾若四物湯 若[illegible]補

關格 枳縮二陳湯 只實一錢 川芎八分 砂仁 白伏令 各、半陳皮 蘇子 瓜蔞仁 厚朴 香附 各七分 木香 沉香 各五分 甘草三分 右除二香剉作一貼 干三高煎 入竹瀝及二香濃磨水調和服爲可 中虛補中益氣湯加[illegible]郎 痰盛六君子湯去朮加栢子仁及麝香小許

不禁 加減八味丸 佐渴飲又減澤瀉附子倍山茱萸加五味子杜仲破故紙 實熱四苓合三黃湯加五味子山茱萸 虛熱四苓合四物湯加山梔升麻

縮泉丸 烏藥 益智 等分爲末 酒煮山藥糊和丸梧子大 臨臥鹽湯下七十丸 或十全大補湯加益知右丸兼服

血淋 增味導赤散 乾芐 木通 黃芩 車前子 梔子仁 川芎 赤芍 甘草 各一戔 竹葉十片 干

通　五淋散　赤芍山梔仁各二戔當歸赤伏令各一戔条芩甘草各五分　石淋
川牛膝膏川牛膝一全用水五盞煎至一盞入麝小許

膏　海金砂散　當歸酒洗大黃酒浸牛膝酒洗木香雄黃海金沙各五
戔為末每二戔臨臥好酒調下

赤白濁　水火分清飲　赤伏令一戔益知草薢石菖蒲猪令車前子澤瀉白
术陳皮只角升麻各七分甘草五分酒水相半

妙應散丸　兔絲子酒製桑螵蛸酒炙川續斷各五戔牡蠣三戔龍骨朱砂石
菖蒲白伏令益知蓮肉砂仁各三戔半為末山茶糊和丸梧子大午
間人參山棗仁湯下早丸臨臥糯米湯下五十丸

渴洲　清肺飲子　猪苓通草各二戔赤伏令一戔半澤瀉燈心車前子各一戔木通
瞿麥扁甘各七分琥珀五分

咳閉　二陳湯　半夏陳皮赤伏令只角牛膝猪令木通山梔麥门車前子黃栢各
一戔甘草五分燈心一團

泪　外　内　虚

導赤湯　木通　滑石　黄柏　赤伏令　車前　山梔仁　甘草梢　各一錢　只角　白术　各五分

氣虚渴嘔　錢氏白术散　參苓白术散　陷者　補中益氣湯加白芍　欲脱者

大便　真人養臟湯加附子　或四柱散　方　附子　木香　伏令　人參　各分　婦人則四製香附丸　似痢　理中湯加黄連木香

胃苓湯　蒼术　厚朴　陳皮　赤伏令　猪苓　白术　澤瀉　白芍　各一錢　肉桂　甘草　各五分

干石　無治　交腸

三白湯　白术　白芍　白伏令　各二錢　甘草炙　一錢

加味四君子湯　久者加升麻　白芍

加肉豆蔻煨　訶子炮　各一錢　或加木香　砂仁　蓮肉　糯米　砂糖調服

三白散　白伏令　烏梅肉　各二錢　白芍酒炒　白术　各一錢半　厚朴　澤瀉　黄連　各一錢　乾干炒黑　五分

虛火 水穀

衛生湯 人參 白朮 白伏令 山藥 陳皮 薏苡仁 澤瀉各一錢 黄連 甘草各五分

腎

二神丸 破故紙炒四兩 肉豆蔻生二兩 為肥棗四十九枚 生干四兩切片同煮去干 取棗肉和丸梧子大 鹽湯下三五十丸

四神丸 即上方加木香五錢 小茴一兩

赤

導赤地榆湯 地榆 當歸身酒洗各一錢半 赤芍 炒黄芩 黄連并酒炒 槐花炒各一錢 阿膠珠 荊芥穗各八分 甘草炙五分 空心服

痢

導滯湯 赤芍二錢 當歸 黄芩 黄連各一錢五分 大黄二分 肉桂二分 木香 檳榔 甘草各分 或丸 枳甘有只角 惡熱加黄芩 惡寒加干桂 氣分加只角 滑石 血分加桃仁當歸 風加秦艽皂子 熱加芩連 調胃白朮陳皮 滲濕伏令澤瀉 消積山楂只實 嘔加山棘陳皮石膏干姜 痢已重不解 去檳榔加柴苓升麻 氣虛白朮黄芪砂仁 血虛加芎歸阿膠側柏炒乾 干虛者減連芩大黄

固腸丸 樗根皮白焙乾四兩 滑石二兩 為糊丸梧子大米飲下三二十丸

赤白

黃連阿膠元 黃連三兩 赤伏苓二兩 為末 水調阿膠炒末一兩和丸梧子大 空心米飲下三五十丸

氣

真人養臟湯 罌粟殼一錢 甘草九分 白芍八分 木香七分 訶子六分 肉桂 人參 當歸 白朮 肉豆久各三分

臟和

黃芩芍藥湯 黃芩 白芍各二錢 甘草一錢 桂心三分

三血

黃連阿膠湯 阿膠珠 黃栢 梔子 黃連各一錢二分半 紫黑瘀血 桃仁承氣湯 鮮溫血瘀 犀角地黃湯加大黃

噤

倉廩散 敗毒散加黃連一錢 蓮肉七枚 陳米倉三百粒 或參連湯 人參四錢 黃連干炒二錢 濃煎呷之 但下咽便開

裡急　立效散　黄連四兩以吳茱萸二兩水拌同炒去茱萸只用二兩為末每錢空心黄酒送下

胞臨　清熱調血湯　當歸　川芎　白芍　乾苄　黄連　香附　山梔　桃仁　紅花　蓬朮　玄胡索　牡丹皮各七分

不通　玉燭散　四物加大黄　芒硝　甘草各一錢

不熱　清經四物湯　當歸一錢半　乾苄　條芩　香附各一錢　白芍　黄連干炒各八分　川芎　阿膠　黄柏　知母各五分　艾葉　甘草各三分

過期　通經四物湯　當歸一錢半　熟苄　白芍　香附各一錢　蓬朮　蘇木各一錢　木通八分　川芎　肉桂　甘草各五分　紅花三分　桃仁二十个

不調　四製香附丸　香附米一斤分作四製一兩鹽水加干汁浸煮畧炒一兩米醋煮浸畧炒一兩山梔仁四兩同炒去梔一兩童便洗過不炒為末入川芎當歸各二兩同為末酒麵糊和丸梧子大每五十丸隨症湯藥吞下

癥

七製香附丸 香附米十四兩分七包一包當歸同酒浸二包同蓬朮二兩童便浸三包同牧丹皮艾葉各一兩米泔浸四包同烏藥二兩米泔浸五包同川芎玄胡索各一兩水浸六包同三棱柴胡各一兩醋浸七包同烏梅紅花各一兩鹽水浸右各浸春五夏三秋七冬十晒乾只取香附為末以浸藥水打糊和丸梧子大臨臥酒下八十丸

結

歸朮破癥湯 香附醋炒一錢半三棱蓬朮并醋煮赤芍白芍青皮當歸尾各一錢烏藥七分紅花蘇木官桂各五分酒

增味四物湯 加三棱蓬朮并醋炒乾漆炒官桂各一錢

四物調經湯 香附醋炒一錢當歸白芍酒炒川芎柴胡黃芩山梔各七分熟[illegible]陳皮白朮三棱蓬朮并醋炒白芷茴香鹽水炒玄胡索各五分青皮砂仁紅花甘草各三分入薑三蔥三

崩

溫清飲 一名解毒四物湯

益胃升陽湯 白朮一錢半 黃芪一錢 人參 神曲炒各七分半 當歸身 陳皮 甘草炙各五分 升麻 柴胡各三分 黃芩二分

升陽除濕湯 黃芪 蒼朮 羌活各一錢 柴胡 升麻 防風 蒿本 甘草炙各七分 蔓荊子五分 獨活 當歸各三分

奇效四物湯 加阿膠 艾葉 黃芩各一錢 干

全生活血湯 白芍 升麻各一錢 防風 羌活 獨活 柴胡 乾葛 當歸身 甘草各七分 蒿本 川芎各五分 熟苄 生苄各四分 蔓荊子 細辛各三分 紅花二分

行後腹痛 八物湯加乾干

婦人惡阻 參橘散 橘皮 赤茯苓各一錢半 麥門 白朮 厚朴 人參 甘草各一錢 干七片 瀝 鵝子大

漏動

膠艾四物湯 當歸川芎白芍乾地阿膠珠艾葉條芩白朮香附砂仁各一錢糯米一合

安胎飲 白朮二錢條芩一錢半當歸白芍熟地砂仁陳皮各一錢川芎蘇葉各八分甘草四分

落

獨聖散 砂仁不以多少熨斗內慢火炒去皮為末每二錢熱酒調下

半

芩朮湯 子芩三錢白朮一錢半急則日三五服緩則五日十日一服

金匱當歸湯 黃芩白朮當歸川芎白芍各一兩為末每三錢溫酒調下或酒糊和丸米飲下五十丸

易

達生散 大腹皮酒洗二錢甘草炙一錢半當歸白朮白芍各一錢人參陳皮蘇葉只殼砂仁各五分蔥五

佛手散 當歸六錢川芎四錢益母草三錢酒小許

下血 平胃散 加芒硝五錢

胞衣不下 牛膝湯 滑石末二錢木通當歸牛膝瞿麥各一錢半冬葵子二錢

佛手散

子癎 羚羊角湯 羚羊角鎊獨活岩仁五加皮各一錢二分防風薏苡仁當歸川芎赤伏神杏仁各七分木香甘草各五分干

四物湯 加乾葛牡丹皮秦艽細辛防風竹瀝

子煩　竹葉湯二　白伏令二錢　麥門　黄芩各一錢半　防風一錢　竹葉七片　水煎服　日

子腫　鯉魚湯　白朮　伏令各二錢　白芍　當歸各一錢半　橘紅五分　先取鯉魚一个　煮汁一盞半　入藥及干七　煎至一盞　温服

茯苓湯　當歸　川芎　白芍　熟芐　白朮　白伏令　澤瀉　条芩　山梔仁　麥門　朴[illegible]　甘草各七分　干五

子淋　澤瀉湯　澤瀉　桑白皮　伏令　只殼　檳郎　木通各一錢半　干五

四物四苓散

子嗽　紫菀湯　紫菀　天門各二錢　吉更一錢半　杏仁　桑白皮　甘草各一錢　竹茹　鷄子大蜜半匕

馬兜鈴散 陳皮大卜皮桑白皮紫蘇各一戔二分馬兜鈴吉更人參貝母五味子甘草各分半干

天門冬飲 天川紫菀知母桑白皮各一戔半五味子吉更各戔

子痢 當歸芍藥湯 白芍白朮各一戔半當歸白伏令澤瀉赤芍各一戔香木賓郎黃連甘草各分白痢去芩連加乾干

子痢前後 當歸芍藥散 白芍酒炒二戔半川芎澤瀉各一戔半當歸伏令白朮各七分半酒

子瘧 醒脾飲子 厚朴草果豆久斫五戔乾干三分甘草二分干石

露薑飲 生干四兩連皮搗爛取自然汁約明日當發瘧夜安排將紗尼蓋露一宿五更初溫者一上飲之

子懸 柴蘇飲 新 蘇葉二錢半 人參 大卜皮 陳皮 當歸 川芎 白芍各一錢 甘草五分 干葱

葱白湯

傷寒 芎蘇散 黃芩 前胡 麥門各一錢 陳皮 川芎 白芍 白朮各八分 蘇葉六分 乾葛五分 甘草三分 干葱

黃龍湯 二方見傷寒門

不語 四物湯 加大黃 芒硝各一錢 煎去滓 入蜜少許 泥冷時時呷服

見光 黃連汁呷之 鼠穴土含之

通用　調氣養血湯　香附二钱　烏藥　砂仁　當歸　川芎　熟地干炒各一钱　白芍酒炒　甘草炙各三分　千石　氣加吳茱萸　痰加二陳湯

元　歸朮補産湯　當歸酒洗一钱半　川芎　白芍酒洗　白朮酒蒸　白朮　白茯苓　香附各一钱　陳皮　乾干炒黑各八分　人參七分　甘草炙三分　千石

腰　杜續四物湯　加杜冲　續斷各一钱

兒枕痛　芎歸失笑散　當歸　川芎各二钱　五靈脂　蒲黃炒各一钱半

小産　補血定痛湯　當歸　川芎　熟地　白芍酒炒各一钱　玄胡索七分　牧丹皮　青皮炒　香附　澤蘭葉各五分　桃仁　紅花各三分

血暈　芎歸湯　當歸　川芎各五钱　産後下如麻狀有二枚者　予與補中益氣湯去柴胡　連進三錢　四物湯加人參調理　又有帕連行餘粒帝不上者　帝

脂膜治法與上全異又有因線垂出三四尺痛不忍 先服失笑散

敷貼仍以生芋一斤乱搗清油二斤拌炒油乾為度 收後芎歸

失笑散調之

長乳芎歸一斤煎服二斤燒熏病人口鼻及乳

又用草麻子搗貼頂

血崩 大劑芎歸湯 加赤芍二錢

全生活血湯 方見血門

喘嗽 二母散 知母貝母人參白伏令各一錢桃仁杏仁各二分

旋覆花湯 旋覆 蒼 赤芍 荊芥穗 半夏 五味子 麻黃 赤伏令 杏仁 前胡 甘草各一錢 午后

不語 七珍散 人參 生地 石菖蒲 川芎各二錢 細辛 防風 朱砂各一錢 為末 每一錢 薄荷煎湯調下

茯苓補心湯 方見血門

陰脫 當歸黄芪飲 黄芪酒炒三錢 人參 當歸 升麻各三錢 甘草一錢 或四物湯加龍骨末少許速進寇外用萆麻子搗貼頂上收即去之

生腸不收而母 八物湯 加酒炒黄芪三錢 防風 升麻各一錢 外以樗根白皮五錢 荊芥 升麻 藿香各三錢煎湯熏洗患處

盍冒 全生活血湯 方見胞門

風痓 八物湯 去伏令加黄芪 羌活 防風各一錢

歸荊湯 荊芥穗微炒 當歸各等分為末每三錢 豆淋酒調下 方黑豆一升炒令熟投三升酒中密封隨量飲之

頭痛　一奇散　即芎歸湯加荊芥穗二錢

嘔　抵聖湯　赤芍半夏澤蘭葉人參陳皮各一錢半甘草五分干七

漏遺　黄芪芍藥湯　黄芪當歸尾白芍各一錢半白术一錢人參陳皮各五分甘草炙三分

浮腫　五味白术散　白术三錢陳皮一錢半木通川芎伏令各一錢

發熱　增損四物湯　當歸川芎柴胡生地各二錢

柴胡四物湯　方見癥門

凉血地黄湯　生地三錢當歸川芎赤芍各一錢半

牛黄膏　朱砂郁金各三錢牛黄二錢半牧丹皮二錢甘草半　龍腦各
為末蜜丸皂子大每一丸井水和下

芎歸調血飲　當歸川芎白朮白茯苓熟地陳皮香附烏藥乾干益
母草牧丹皮甘草各七分半干右

柴胡破瘀湯　柴胡黄芩半夏甘草當歸赤芍生地各一錢桃
仁五灵脂各五分

虛勞

補虛湯　人參白朮各一錢半當歸川芎黄芪陳皮各一錢甘草七分干
熱輕倍加伏苓熱重加酒芩熱退加乾干炒黑

增損四物湯　當歸川芎白芍人參乾干甘草各一錢

三合湯　當歸川芎白芍熟地白朮白伏苓黄芪各一錢柴胡人參
各七分半黄芩半夏甘草各五分干右

加味逍遙散 當歸白芍白术白伏令柴胡山梔牧丹皮各一錢甘草五分

滋陰至寶湯 當歸白术各一錢白伏令陳皮知母貝母香附地骨皮麥門
白芍酒炒各八分柴胡朴下甘草各五分干

滋陰百補丸 四製香附八兩益母草當歸三兩川芎熟地白术各二兩白芍一兩
半白伏令人參玄胡索各一兩甘草五錢為末蜜丸梧子大或酒
或醋湯或白湯下五七十丸

芎歸湯 當歸川芎各三錢人參白术各一錢陳皮七分甘草三分

芎歸湯 產後受風
加防風荊芥穗各一錢生黃芪七分水煎臨服調豆淋酒治
川芎當歸各一錢半白术一錢二分白伏令一錢澤瀉八分紅花七分

芎歸湯 桃仁五分臨服調荊芥穗燒存性末一錢脈洛產後泄瀉
赤痢則加白芍黃芩酒炒一錢桃仁研泥乾薑炒黑各八分甘草五分

白痢則虛冷也去桃仁乾漆加白伏令一戔乾姜炒二分黃連姜
汁炒五分澤瀉七分調六一散服
加白术白伏令各一戔神曲麥芽炒各七分山查五分水煎空心服或

芎歸湯 加香附子八分 治産後食積
川芎當皈各一戔半白伏令白术紅花各一戔桃仁煎服如或血崩一月

加味芎湯 新産氣塞則去紅花桃仁治兒出而母則氣塞不省人事者皆胃氣
虛損而然也須煎此藥熱則用一服如神 悪血不下而昏冒謂之血暈
芎皈湯加桃仁紅花各五分服

芎歸厚朴湯 川芎當皈各一戔半白伏令一戔半白术黃芩酒炒各一戔厚朴八分香
附子一戔陳皮五分煎服二貼每一貼分二次服治産後腹脹滿悶
如未産時有此悪血流入脾經胃氣虛損血病愈須更用

芎歸湯 川芎當皈各二戔白伏令一戔半人參四分白术五分紅花貝母八分蘇木
七分知母五分水煎臨服入童便四匕治産後喘症此危悪之症也
産後玉門寬冬硫黃煎湯洗之頻五倍子為末小便和丸納陰中

加味芎歸湯 芎藭一錢半 黃芩一錢七分 白朮一錢二分 滑石一錢 冬葵子一錢 人參七分

水煎，空心服。治難横倒難産，功勿驚動産婦，連用此藥

胎不出 因之

加味芎歸湯 芎藭各二錢半 紅花一錢 水煎隔服 入童便半盞調服 胎若未出 連二三日功勿驚動 只用此藥可也 腹痛亦用此藥 甚則加桃仁研八分 頭痛無汗加荊芥穗一錢 甚加二錢 若无諸症而只有頭痛則此非熱之候 去桃仁紅花 加荊芥穗二錢 生乾地黃一錢 柴胡八分 黃芩酒炒七分 甚則柴胡黃芩各一錢 梔子炒六分 用之而甚加黃連五分

加味芎歸湯 芎藭二錢半 赤芩二錢 白朮一錢半 芎藭黃芩白朮二錢 赤芩一錢半 蔥白七莖 水煎 空心服 以差為度 如無已上諸症 此藥中去蔥連用十五貼 後前期十五日或二十日 緇用此藥而加益母草一錢八分 連用二十餘貼 治孕婦前期月或有腹痛煩滿 凡腹中不平者 胎不得正道 乃難産之候也 臨産如無雜症 芎藭各五錢入酒一鍾 煎服亦可也

芎歸湯 芎䓖各一戔半 白伏令一戔半 黃芩一戔 白朮七分 熱甚則加乾姜炒黑 四分 生乾苄一戔 以瀉陰經之火 多產婦人或行素婦人素濕 胃弱多有此症 必詳審後然用之 然雖年小充壯婦人 大凡產後熱皆非有餘之邪 皆虛之中熱 用此亦無敗症而有萬全之效也 頭痛加荊芥穗 腹痛加桃仁紅花

治產婦素虛而熱 用事則服此藥

小兒惡敗毒散 加天麻 地骨皮 全蝎 白殭蚕

乾葛二戔 人參 白朮 白伏令 木香 藿香 甘草各一戔 瀉

慢白朮散 加山藥 白扁豆兩豆久已成慢 加天麻 細辛 白附子 全蝎

天乙丸 燈心一兩六戔 粟米粉 漿水洗曬乾 為末入水澄之 浮者燈心取二戔半 入赤伏令 白伏令 赤伏神各一戔七分 滑石 猪苓各一戔半 澤瀉三戔 為末入人參二兩煎膏和丸櫻桃大 朱砂為衣 金箔裹之 每一丸燈心湯化下 或作湯用之

疳

燒鹹丸 黄丹 硃砂 白礬枯 等分為末 棗肉和丸菉豆大 每一丸用針插於燈焰上燒存性 乳汁或米飲化下

肥兒丸 胡黄連五钱 使君子肉四钱半 人參 黄連 干蟾 神曲炒 麥芽炒 山查肉三钱半 白朮 白伏令 甘草炙 各三钱 芦薈 梡鍜 泥果 糠火煨透 二钱半 為末 黄米糊和丸菉豆大 米飲下三十丸

硬

烏藥順氣散 方見風癱門

軟

健骨丹 白羌蚕炒 為末 每服五分或一钱 朴荷炮酒調下 日三

補遺

瀉青丸 當歸 草龍胆 梔子 黄芩 黄連 黄柏各一两 大黄 芦薈 青黛各五钱 木香二钱半 射香五分 為末 蜜丸小豆大 湯下二三十丸

三白湯 白芍二钱 白朮 白伏令 陳皮 蒼朮 川芎 山梔炒黑 香附[illegible] 當歸 沙參 黄柏 貝母 麥门各一钱 甘草五分 千汴

調和心腎脾胃

二神交濟丹

伏神 薏以各三兩 山石仁 枸杞 白术 神曲各二兩 柏子仁 芡實 當歸 白芍 生地 人參 白茯令 陳皮 麥門 砂仁各一兩 為末 用乳水四盞 調煉蜜四兩 煑山藥末四兩 為丸梧子大 米飲下三五十丸 血虛去芍加鹿茸 脾虧退去地黃加五味子

三花神佑丸

大戟 芫花 甘遂各醋炒五錢 黑丑二兩 大黃一兩 輕粉一錢 為末水丸小豆大 每服二丸 漸加二丸 日三服

木

風升生

味之薄者陰中之陽也 味薄則通 ○防風 升麻 羌活 柴胡 葛根 威靈仙 細辛 獨活 白芷 吉更 鼠粘子 藁本 川芎 蔓荊子 秦艽 天麻 黃 荊芥 薄荷 前胡

熱浮長

氣之厚者陽中之陽 氣厚則發熱 ○附子 烏頭 乾薑 生薑 良薑 肉桂 桂枝 草豆蔻 丁香 厚朴 木 白豆蔻 益知 川椒 吳茱萸 茴香 縮縮 玄胡索 紅花 神

濕化成

其氣兼溫涼寒熱 以胃氣應之 其味甘辛鹹酸 若以脾應之 ○黃芪 人參 甘草 當歸 熟地黃 半夏 蒼术 白术 陳皮 青皮 藿香 檳榔 莪术 三稜 阿膠 訶子 杏仁 桃仁 麥芽 紫草 蘇木

燥降收　氣之薄者陽中之陰氣薄則發泄　伏苓澤瀉猪苓滑石瞿麥車前子木通燈心五味子桑白皮白芍藥犀角天門冬烏梅牧丹皮地骨皮枳殼琥珀連翹枳實麥門冬

寒沉藏　味之厚者陰中之陰　味厚則泄　大黄、黄、柏草龍膽黄芩黄連石膏生地黄、知母防己茵蔯牡蠣瓜蔞根朴硝玄參山梔子川楝子香豉地榆

心　温用當歸芎藭吳茱萸肉桂蒼术白术石菖蒲
涼用犀角生地黄、牛黄竹葉朱砂麥門冬黄連連翹
補用遠志伏神天門冬麥門菟絲子人參金銀[illegible]箔炒鹽
瀉用黄連苦參貝母前胡鬱金

小腸　温用巴戟茴香烏藥益智
涼用茅根通草黄芩天花粉滑石車前子
補用牡蠣石斛甘草梢
瀉用葱白蘇子續隨子大黄

肝

溫用木香肉桂半夏肉豆久陳皮賓郎蓽撥

涼用鱉甲黃芩黃連草龍胆草決明柴胡羚羊角

補用木果阿膠川芎當芪山茱萸酸棗仁五加皮

瀉用青皮芍藥柴胡前胡犀角陳皮草龍胆

鱉甲

膽

溫用橘皮半夏生薑川芎桂皮

涼用黃連黃芩竹茹柴胡草龍胆

補用當歸山茱萸山石仁五味子

瀉用青皮柴胡黃連木通芍藥

脾

溫用禾附子縮砂薑桂木香肉豆久益智藿香丁香附子

涼用梔子黃連石膏白芍升麻連翹黃芩苦茶

補用人參黃芪白朮伏令陳皮半夏乾薑麥芽山藥

瀉用巴豆三稜只實赤芍大黃青皮神曲山查子

胃
溫用丁香白豆蔻草豆蔻乾姜厚朴益智吳茱萸
凉用石膏連翹滑石升麻乾葛天花粉梔子黄芩
補用白术山藥蓮肉芡仁白扁豆人參黄芪縮砂
瀉用巴豆大黄只實芒硝厚朴牽牛子

肺
溫用陳皮半夏生姜款冬花白豆蔻杏仁蘇子川椒
凉用知母貝母瓜蔞仁桔梗天門冬片芩梔子石膏
補用人參黄芪阿膠五味子天門冬沙參山藥鹿角膠
瀉用葶藶子桑白皮防風杏仁麻黄只殼紫蘇葉

大腸
溫用人參姜桂半夏木香胡椒吳茱萸
凉用黄芩槐花天花粉梔子連翹石膏
補用罌粟殼五倍子牡蠣肉豆蔻木香訶子
瀉用芒硝大黄續隨子桃仁麻仁只殼檳榔白牽牛子

腎

溫用沉香兔絲子附子肉桂破故紙栢子仁烏藥巴戟

涼用知母黃栢牡丹皮地骨皮玄參生地黃

補用熟地黃枸杞子鹿茸龜板五味子肉蓯蓉牛膝杜仲

瀉用澤瀉茯苓猪苓琥珀木通　腎本無實不可瀉用茯苓澤瀉以伐其邪水邪火也

膀胱

溫用茴香烏藥肉桂沉香吳茱萸

涼用地黃防已黃栢知母滑石甘草梢

補用益智菖蒲續斷

瀉用車前子瞿麥滑石芒硝澤瀉猪苓木通

命門

溫用附子肉桂破故紙茴香沉香烏藥乾干

涼用黃栢梔子柴胡知母滑石芒硝

補用肉蓯蓉沉香黃芪肉桂兔絲子破故紙

瀉用烏藥枳殼大黃芒硝黃栢梔子

三焦 温用附子破故紙當歸熟地黄菟絲子吴茱萸茴香
涼用知母草龍膽木通車前子地骨皮黄柏梔子
補用人參黄芪乾姜甘草白术桂枝益智
瀉用黄柏梔子猪苓澤瀉赤茯苓大黄賓郎

六十年客氣旁通圖

司天在泉四間氣紀步各主六十日八十七刻半客行天令居於主氣之上陽年從化先天陰年氣後天故上下各主半年也

小陰 太陰 小陽 陽明 太陽 厥陰 取化源

九水六金三火五土十二木

子午 丑未 寅申 卯酉 辰戌 巳亥

太陽 厥陰 小陰 太陰 小陽 陽明

備急丸 主諸卒死暴疾百病及中惡客忤鬼件鬼打面青口噤奄忽氣絶

大黃 乾薑 巴豆霜各一兩 右為末 蜜和搗千杵 作丸小豆大 卒死者取三丸 熱酒吞下 口噤則以湯化灌之 下咽即活 或溫水下亦得 張易老名獨行丸 乃急劑也

脫陽症 凡人因大吐大瀉之後 元氣不接 四支逆冷 面黑氣喘 冷汗自出 外腎縮搐 不省人事 須臾不救 與傷寒陰陽易同症 宜急服大固陽湯 又桂枝二兩剉 好酒煎取汁服 又連鬚葱白三七莖 以酒濃煎服 陽氣即回 又生薑一兩 研 酒煎服 又葱鹽爛搗炒熱 熨[illegible]臍下氣海即愈

大固陽湯 大附子一枚 炮 切作八片 白朮 乾薑 炮 各五錢 木香二錢半 右剉 作一貼 水煎去滓 放冷灌服 須臾又進一服

還魂湯 一名追魂湯 主中惡尸厥暴死客忤鬼擊飛尸 奄忽口噤氣絶

麻黃三錢 杏仁二十五粒 桂心 甘草各一錢 右剉 作一貼 水煎灌之 口噤者斡開口灌之 藥下立甦 凡尸厥鬱冒卒死卒中之類 皆當發表 仲景云 鬱冒欲解 必大汗出 是也

杖傷

杖瘡痛止 **五黄散** 黄丹、黄芩、黄連、黄柏、大黄、乳香各等分，右爲末，新水調成膏，以緋絹攤貼患處，日三易。

腫痛 **乳香散** 自然銅火煅醋淬十次、當歸各五錢，茴香四錢，乳香、没藥各三錢，右爲末，每三錢，温酒調下。

蓄血上攻心煩悶 **化瘀散** 蘇木、當歸尾各三錢，大黄、紅花各二錢，右爲末，每三錢，温酒童便調和服。

瘡潰爛久不愈 **補氣生血湯** 人參、白术、白茯苓、白芍、當歸、陳皮、香附子、貝母、桔梗、熟地黄、甘草各一錢，右剉，作一貼，酒水相半煎服。

打着不痛 **打着不痛方** 未打以前，先取白蠟一兩，切入碗内，滚酒泡服，雖打着不痛，名寄杖散。

骨折筋斷傷

折傷

活血散　菉豆粉炒紫色新汲水調成膏厚付折傷處以帛縛定其效如神　一方熱酒醋調付

接骨散　當歸七戔半　川芎　沒藥　骨碎補各五戔　川烏煨四戔　古文錢三介火煆醋淬七次　乳香二戔半　木香一戔　黃香（郎松脂）六兩　香油一兩半　右為末味間談著引具詳知　攤油紙貼患處如骨碎節斷用此復續如初

和油成膏

手足

二生膏　生地黃一斤　生干四兩　右爛搗入酒糟一斤炒熱布裹卷傷處候冷　傷損臂臼脫出腫痛　生地黃搗爛攤油紙上　次糝木香末一層又攤地黃貼患處　明日痛即止　又生黃搗取汁好酒和服日二三次　又搗敷封傷處二月節骨續

糯米膏　糯米一斤　皂角切碎半斤　銅錢百個　同炒黑去錢　右為末　酒調膏貼患處　效

跌

麥斗散　土鱉一个瓦上焙　巴豆一个去殼　半夏一个生　乳香　沒藥各半分　自然銅火煆醋淬七次　用此小為細末溫清酒調服一釐　如重車行十里立

夕貝骨接上有聲初跌之時須整理如旧綿衣蓋覆方服藥勿轉動端午日製尤妙

接骨散

乳香 沒藥各三錢 自然銅煅淬另研五錢 滑石一兩 龍骨 赤石脂各三錢半 麝香少許 右為末好醋浸潤煮乾炒為末 臨睡時入麝香和匀酒溫調下二錢 若骨已接去龍骨赤石脂服 一方將藥除麝香浸酒煮乾為末 黃蠟五錢鎔化乃入麝和匀 位丸彈子大每一丸酒並以東南柳枝搗散應忌驟服

打撲

自然銅散

乳香 沒藥 蘇木 降真香 無名異 紫檀 代立川扁 松明節 自然銅火煅醋淬七次各五錢 地龍旧炒 龍骨 牛膝 土鱉旧炒焦各三錢半 血竭一錢半 土狗五個 曲浸焙 右為末每五錢酒調下 自項心尋病至下兩手兩足 周遍一身 病人自覺藥力習習往來 遇病處則飒飒有聲

瘀血攻心 外敷 貝骨

接骨紫金丹

土鱉一方用土狗 自然銅火煅醋淬七次另研 骨碎補 大黃 當歸尾 乳香 沒藥 硼砂各一錢 右為末每取八釐熱酒調服 貝骨自接

刀鎗傷肚裂腸出 活血散 黄蘗 當歸 川芎 白芷 續斷 赤芍 [illegible] 甘草 [illegible] 附子炮各等分 右爲末每二錢溫酒調服日三

金刃或從高墜下木石壓損 奪命散 水蛭石灰拌炒焦五錢 大黄 牽牛頭末各二兩 右爲末每服二錢熱酒調下過數時無效再用一服以下惡物爲度

瘀血凝積心腹痛二便不通

傷血瘀凝積煩 雞鳴散 大黄酒蒸五錢 當歸尾三錢 桃仁二七枚研 右爲粗一貼酒煎雞鳴時服次日下瘀血即愈 治折傷亦效

破血消痛湯 傷損脊膂惡血流於入脇下痛不能轉側 水蛭炒烟盡另研三錢 柴胡 連翹 當歸梢各二錢 蘇木一錢半 羌活 防風 桂枝各一錢 麝香少許另研 右除水蛭麝香外剉作一貼酒水相半煎去滓入二味調服空心二貼立愈

治墜 復元活血湯 大黄一兩半 當歸七錢 柴胡一錢半 穿山甲炒研 瓜蔞根 甘草各二錢 桃仁去皮尖爲泥 紅花各[illegible] 右剉作一貼酒水相半煎服

[illegible]

生津補血湯　仁參　麥冬　五味子　木瓜　乳[illegible]　熟[illegible]　當歸　白芍

[illegible]蓯蓉　[illegible]仁　枳實　陳皮　桂枝　各一錢　煎服

水煎半[illegible]溫服　入青梁米一撮　棗二　三十片

八物二陳湯　熟地　茯苓　砂仁　川芎　三錢　當歸　半夏　各一錢　[illegible]

白芍　紫[illegible]　仁參　白朮　陳皮　各一錢　[illegible]　黃[illegible]

大茴香　[illegible]　山梔　[illegible]　香附　[illegible]　紫蘇

甘草　各五分　入煨姜五片　棗二　上方[illegible]用[illegible]定則世

[illegible]湯

[illegible]